MA CUISINE
DU TERROIR

MA CUISINE DU TERROIR

Marie-Pierre Moine
avec la collaboration pour l'édition française de
Anne-Marie Thuot

Photographies de David Gill

Gründ

À ma sœur Anne-Sophie Naudin.
« Vite fait, bien fait… »

Texte original de Marie-Pierre Moine
avec la collaboration, pour l'édition française, de Anne-Marie Thuot
Photographies de David Gill

Première édition française 1994 par Librairie Gründ, Paris

ISBN 2-7000-5300-1
Dépôt légal : août 1994

Édition originale 1993 par Conran Octopus Ltd.
sous le titre original *Fast French. 100 Recipes for Stylish Dishes in Minutes*

Réalisation PAO : ML Éditions, Paris
Imprimé et relié en Chine

SOMMAIRE

Chine
Abricots
Abricots
Myrtilles Sauvages
Myrtilles Sauvages
Myrtilles Sauvages
Myrtilles Sauvages
MOUTARDE DE MEAUX
POMMERY
KUB
OR
KUB
OR
KUB
OR
KUB
OR
Riz
écolier

INTRODUCTION

Ce livre s'adresse à toutes celles et à tous ceux qui aiment autant cuisiner que déguster les bons petits plats de la cuisine familiale traditionnelle, mais qui n'ont ni le loisir ni l'envie de passer trop de temps devant leurs fourneaux.

Des moules marinière à la sole meunière, des côtes de porc poêlées à la frisée aux lardons, beaucoup de recettes savoureuses et sympathiques peuvent se réaliser facilement en une demi-heure. En fait – et ce fut une surprise agréable –, lorsque j'ai commencé à essayer les recettes destinées à cet ouvrage, je me suis aperçue que la plupart des plats ne demandaient qu'une dizaine de minutes de vrai travail.

Vite fait, bien fait. Pour faire de la cuisine rapide mais authentique, pour que les plats soient savoureux et ne perdent pas leur caractère du terroir, il suffit de choisir avec soin ses produits et de simplifier un peu la méthode de préparation.

Certaines des recettes de cet ouvrage sont des adaptations de plats classiques du répertoire régional ou familial. D'autres sont plus originales. Beaucoup sont inspirées par le souvenir d'un plat particulièrement apprécié lors d'un bon repas.

En cuisine rapide, quelle que soit la recette, il est nécessaire d'utiliser des produits de très bonne qualité qui ne demandent pas trop de préparation et qui sont vite cuits. Choisissez par exemple des petites pommes de terre nouvelles, des filets de poisson, de la viande désossée et dégraissée, des salades ou des champignons débarrassés de leur terre.

Bien que le livre suive l'ordre du repas traditionnel, commençant par les hors-d'œuvre et finissant par les desserts, j'ai consacré un chapitre aux plats légers, aux casse-croûte et aux salades composées qui, de plus en plus souvent, se servent en plat unique.

Matériel nécessaire

Mes premières leçons de cuisine se sont passées dans la cuisine de ma grand-mère. La mayonnaise s'y faisait à la cuillère (et à l'huile de coude) et, hormis le moulin à légumes et le hachoir à viande, la batterie de cuisine était fort simple : casseroles, cocotte, poêle, sauteuse, tamis, passoire, couteaux, fouets, planche à découper, cuillères en bois et spatule. Je suis restée fidèle à cette approche minimaliste. Si vous vous encombrez d'un trop grand nombre de gadgets, vous perdrez du temps à vous décider, à hésiter entre divers ustensiles (et à laver lesdits gadgets après emploi).

Je suppose que vous avez une cuisinière et un four à thermostat, un gril intégré ou une rôtissoire, et un gril en fonte, idéal pour saisir les viandes. Dans tous les cas, lisez attentivement les notices explicatives pour les cuissons.

Je vous recommande vivement l'utilisation d'un robot ménager avec, de préférence, deux bols de taille différente. Vous aurez aussi besoin de bons couteaux, de deux paires de ciseaux pour débiter les aliments en morceaux qui cuiront vite, de plusieurs planches à découper, dont une réservée à la viande crue, de fouets à main, grands et petits, d'un couteau à zeste pour les agrumes, d'un pinceau à pâtisserie ou, à défaut, d'un pinceau ordinaire pour enduire les ingrédients, d'une spatule résistant à la chaleur et de quelques cuillères en bois. Une petite fourchette en bois sera très pratique pour remuer les aliments dans la sauteuse.

L'essoreuse à salade permet d'assécher les feuilles en quelques secondes. Prévoir une grande consommation de papier absorbant recyclé, parfait pour absorber l'excès d'eau des ingrédients et irremplaçable pour essuyer poêles et casseroles, ou les graisser, écumer les liquides frémissants, etc.

À mi-chemin entre la poêle et la casserole, la sauteuse est probablement le meilleur récipient de cuisson multiusage lorsqu'on est pressé. Son fond large et épais accueille les aliments sur une seule couche, d'où un précieux gain de temps pour leur cuisson. Les liquides s'y évaporent rapidement et les sauces y réduisent en un clin d'œil. Grâce à son couvercle, elle permet d'accélérer la préparation des soupes et des fricassées.

Il vous faut aussi deux casseroles résistantes, une grande et une petite, deux poêles antiadhésives, là encore une grande et une petite. Une petite poêle à omelette servira exclusivement pour cuire les œufs et les crêpes.

Pensez à utiliser une bouilloire, pour gagner du temps quand vous aurez de l'eau chaude à rajouter en cours de cuisson.

Enfin, dernier conseil : lorsque le temps est compté, chaque fois que possible, servez dans le récipient de cuisson plutôt que d'utiliser un plat de service.

Techniques

Pour abréger la cuisson, n'oubliez pas que les petits morceaux, c'est logique, cuiront plus vite que les gros. Détaillez les ingrédients à la grosseur voulue, par exemple la grosseur d'une bouchée, avec un couteau pointu sur une planche à découper, ou avec des ciseaux s'il s'agit de ciseler ou d'émincer jambon, lard ou herbes directement dans le récipient de cuisson. Exercez-vous à débiter plusieurs ingrédients à la fois, en groupant, par exemple, 2 ou 3 carottes ou feuilles et en les émincant avec un grand couteau de cuisine. Pour ceux qui auraient appris à effiler les haricots verts un à un, essayez de travailler par poignée : mettez les extrémités au même niveau et coupez-les avec des ciseaux.

Lorsque vous vous servez du robot ménager, détaillez les ingrédients en morceaux d'égale grosseur, de 2 à 3 cm au maximum. Travaillez d'abord les ingrédients durs pendant quelques secondes, jusqu'à ce qu'ils soient grossièrement hachés, puis les autres. Remettez en marche, mouillez avec le liquide, mixez à nouveau. Quelques secondes, c'est beaucoup avec ce type d'appareil : c'est aussi facile d'obtenir une bouillie inappétissante que de carboniser un toast.

Modes de cuisson

Cuire à la poêle Préchauffez-la bien, afin de vite démarrer la cuisson et de saisir viandes et poissons. Baissez légèrement la flamme (plus pour le poisson), mais pas trop, afin que la viande ne mijote pas dans son jus. Tournez-les à mi-cuisson, appuyez avec une spatule pour saisir l'autre face et faites cuire comme précédemment.

Déglacer la poêle pour confectionner une sauce : retirez la viande ou le poisson, réglez sur feu vif, mouillez avec un liquide acide, du vin, en général. Mettez-en peu (2 à 3 cuillerées à soupe) et mélangez-le au jus de cuisson. Dès que vous êtes sur le point d'ôter le récipient du feu, incorporez quelques noix de beurre ou une cuillerée de crème fraîche, de yaourt velouté ou de fromage blanc. Rectifiez l'assaisonnement.

Faire sauter ou revenir Démarrez toujours avec une poêle bien chaude, baissez un peu la flamme et remuez les aliments comme précisé dans votre recette : une fois ou deux, voire très souvent, mais pas constamment.

Griller Préchauffez toujours le gril au maximum, puis baissez la température selon la recette, en surveillant régulièrement la cuisson.

Pocher Portez le liquide de cuisson à ébullition avant d'y plonger les ingrédients. Dès que l'ébullition reprend, réglez sur feu moins vif et laissez frémir imperceptiblement.

Mijoter Les frémissements du liquide sont à peine plus intenses que pour le pochage. Toutefois, à chaleur trop vive, les ingrédients durcissent.

Cuire à l'eau bouillante Cette fois, l'eau est à pleine ébullition. Quelle que soit l'intensité de la flamme, soyez économe eneau : pas plus de 2,5 cm de liquide au-dessus des ingrédients. Ainsi, la cuisson se fera plus vite. Si l'eau s'évapore trop rapidement, rajoutez de l'eau bouillante et baissez la flamme.

Faire réduire un liquide de cuisson : c'est la méthode courante pour préparer une sauce. Retirez d'abord les aliments du récipient et tenez-les au chaud. Réglez sur feu vif et laissez bouillir une minute, voire 2 ou 3 si vous utilisez une grande sauteuse. Après cette opération, allongez la sauce avec quelques cuillerées à soupe d'un liquide modérément acide (jus d'orange, porto, madère). Il suffit ensuite de l'enrichir d'un peu de beurre, puis de rectifier l'assaisonnement avant de servir.

lebreton
fins
lebreton
fins
lebreton
fins
CREME
La Petite Chine
Honfleur
Abricots
Abricots
HUILE-D'OLIV
POMMERY

PRODUCT OF FRANCE
A la PERRUCHE
DENTELLES
PUR BEURRE
ORANGINA
250 ml
poids net à l'empaquetage
500 g
ABRICOT
Black Cherry
CAFÉS
Jeanne d'Arc
Sardines à la tomate
ET À L'HUILE D'OLIVE
POIVRE VERT
FABRICATION FRANÇAISE

Ingrédients

Vive le marché ! Je dois avouer que je suis toujours à la recherche d'excuses pour compléter mon gros marché hebdomadaire (au supermarché, banalement) par des visites chez les petits commerçants spécialisés du quartier ou, ce qui me satisfait encore plus, au marché, les jours d'ouverture.

Herbes aromatiques et légumes Pour moi, persil et estragon arrivent en tête, avant la ciboulette et le cerfeuil. J'ai toujours à portée de main un bouquet de persil commun, c'est-à-dire à feuilles plates, soit dans un pot sur le rebord de la fenêtre, soit tout prêt dans un bocal au réfrigérateur. Donnez la préférence aux herbes fraîches. Les mêmes variétés séchées peuvent convenir – exception faite, hélas ! du persil, de la ciboulette et du cerfeuil. Renouvelez votre stock d'herbes séchées tous les 3 à 4 mois, car elles se dénaturent vite. Mettez-en moins que des fraîches, sinon votre mets aurait un arrière-goût artificiel.

L'ail est indispensable en cuisine. Utilisez-le toujours frais et à petite dose, sauf s'il est précisé qu'il s'agit d'un plat fortement aillé. Ne boudez pas non plus l'échalote, dont la saveur prononcée relève merveilleusement pommes de terre, sauces au beurre, bœuf ou tomates, pour ne citer que ces quelques exemples. Elle se conserve bien, enveloppée, dans le compartiment à légumes du réfrigérateur. La ciboule est aussi une valeur sûre de la cuisine traditionnelle. Le bulbe transmet rapidement sa saveur aux mets tandis que la partie verte ciselée sert d'élément décoratif.

Les légumes frais et jeunes, surtout en saison, sont à privilégier. J'utilise peu de produits surgelés, à part des épinards, des fèves et des petits pois, que j'ai toujours en réserve.

Condiments et aromates J'utilise du sel marin, gros et fin, ainsi que du poivre noir en grains, que je mouds avec un moulin. Encore plus utile peut-être pour aller vite, le poivre vert grossièrement concassé. Achetez-le dans de la saumure et conservez-le au frais. Autre condiment qu'il est bon d'avoir chez soi, la harissa. Je m'en sers fréquemment. On la trouve en tube, facile à employer, mais attention ! ne la confondez pas, comme cela m'est arrivé, avec du concentré de tomate. Transférez-la après ouverture dans un petit bocal propre avec un couvercle qui se visse, et utilisez-la à faible dose. Parmi les autres aromates indispensables, les câpres, le paprika, la sauce soja et les sauces Worcestershire et Tabasco. J'emploie aussi de la crème d'anchois, du concentré de tomate et, plus discrètement, du ketchup. Dans le placard, la moutarde de Dijon et à l'ancienne côtoient une sélection de vinaigres – de vin rouge, de vin fin, de xérès, balsamique (dans les épiceries fines et italiennes) et, éventuellement, de framboise. Laissez de côté les saveurs compliquées. Utilisez le vinaigre avec modération : un trait plutôt que des cuillerées.

Matières grasses Le beurre doux est celui qui convient le mieux pour la plupart des recettes, mais le beurre demi-sel peut être utilisé, sauf précision contraire. La crème fraîche, avec sa saveur riche, est, bien sûr, le *nec plus ultra* de la bonne cuisine. Il est souvent possible de la remplacer par un mélange de fromage blanc – évitez le 0 % de matières grasses, très décevant sur le plan culinaire – et de yaourt brassé ou velouté, voire de yaourt à la grecque, disponible presque partout maintenant. Délayez le mélange avec quelques cuillerées à soupe de liquide de cuisson avant de l'incorporer à une sauce : la consistance en sera plus homogène. L'huile d'arachide et de tournesol sont toutes deux utiles, de même que, si vous avez de la place, deux qualités d'huile d'olive : une moins raffinée et une vierge extra, très parfumée. L'huile de noix est excellente fraîche, mais elle s'altère vite. Achetez-la en petites bouteilles. Conservez toutes les huiles dans un endroit frais, à l'abri de la lumière.

Vins et boissons Le vin entre dans la préparation de certaines recettes, de même que le cognac ou l'armagnac, en petites quantités, pour parfumer les sauces. Le vin utilisé dans une sauce est généralement celui que vous servirez à table avec le mets. Le madère est un vin viné, qui rend bien des services. Contrairement aux vins secs, on l'ajoute en fin de cuisson. Il donne aux sauces une belle couleur ambrée. Le Cointreau est parfait pour les desserts, comme le kirsch ou la crème de cassis, mais d'autres choix sont possibles parmi les alcools blancs et les liqueurs.

Riz, pâtes et autres Outre le riz et diverses sortes de pâtes, j'ai toujours en réserve un paquet de bulgur, qui gonfle vite une fois assaisonné et a un petit goût de noisette. À défaut, prenez de la semoule pour couscous. L'un et l'autre se trouvent dans les supermarchés et les magasins de diététique.

Conserves Il est bon de prévoir des tomates au naturel concassées, des haricots blancs, des flageolets, du thon à l'huile, des filets d'anchois et des petits pois.

Autres ingrédients bienvenus dans le placard à provisions Les confitures et les fruits au naturel sont pratiques à utiliser. J'ai aussi en réserve du chocolat amer, riche en cacao, et du chocolat pâtissier. Les fruits secs se conservent mal, mais, si vous ne les oubliez pas trop longtemps, prévoyez un petit sachet d'amandes effilées, de pignons ou de cerneaux de noix. Au réfrigérateur, j'ai toujours des lardons ou un morceau de poitrine fumée, du jambon de pays en fines tranches, du saucisson, des cornichons, 1 ou 2 citrons, jaunes ou verts, non traités, du jus d'orange, du gruyère ou du comté, du parmesan et des œufs frais. Au congélateur, je conserve de la pâte feuilletée prête à l'emploi et du bouillon de pot-au-feu que je congèle moi-même.

Bouillons et fumets Confectionner un bouillon demande du temps, mais on peut contourner le problème de diverses façons. Comme je le dis ci-dessus, on peut congeler du bouillon de pot-au-feu en petites portions. On peut aussi acheter à moindres frais des cubes de bouillon de bœuf, de poule ou de pot-au-feu dégraissés dans les supermarchés. On y trouve également du court-bouillon en sachets, très commode pour le pochage du poisson et des fruits de mer.

Une autre solution consiste à ajouter quelques gouttes de sauce soja à un liquide de cuisson. Le bouillon ainsi obtenu est tout à fait convenable. Commencez par verser une cuillerée à soupe de sauce soja, goûtez et forcez la dose selon le goût. Le jus de cuisson de champignons poêlés peut aussi être utilisé comme base de bouillon.

Si vous avez le temps, et vous en sentez le courage, préparez un bouillon de volaille en faisant mijoter deux poulets ordinaires dans un grand volume d'eau additionnée de quelques grains de poivre, d'une pincée de sel, d'un oignon émincé, d'un poireau, d'une carotte émincée et, si vous en avez, d'une tige de céleri et de quelques lamelles de zeste de citron. Au bout de 50 minutes environ, prélevez le blanc des volailles – délicieux avec une mayonnaise au basilic (p. 16) – et poursuivez la cuisson à petit feu pendant 1 h 30. Laissez refroidir dans le récipient, ôtez les carcasses et passez le bouillon au travers d'une passoire garnie d'une mousseline. Rectifiez l'assaisonnement.

Pour un bouillon de poisson, ou fumet, commencez par faire mijoter ensemble, dans une casserole contenant une hauteur d'eau de 5 cm, quelques champignons hachés, un poireau finement émincé, une échalote hachée, quelques graines de fenouil ou une pincée de thym séché (facultatif), un soupçon de zeste de citron râpé et quelques grains de poivre. Au bout de 15 minutes, ajoutez des carcasses de crustacés et des parures de poisson blanc, à chair non grasse. À la reprise de l'ébullition, laissez cuire 15 minutes. Passez au travers d'une passoire fine et rectifiez l'assaisonnement. Un bouillon de légumes se démarre de la même façon. Remplacez carcasses et parures par un oignon émincé, une tige de céleri et une tomate.

Chaque fois que possible, j'ai indiqué des quantités et des ingrédients que vous pourrez adapter aux besoins de chacun (par exemple, « 4-6 cuill. à soupe, 1-2 gousses d'ail, crème fraîche ou fromage blanc »). Lorsqu'un choix est proposé, par exemple, « quelques brins de ciboulette ou d'aneth », ma préférence va vers le premier cité. Mais faites en fonction de ce qui est disponible et interprétez : aucune recette n'est à suivre au pied de la lettre…

Recettes passe-partout

Comme leur nom l'indique, ce sont les recettes incontournables de mon répertoire. Je les utilise pour égayer toutes sortes d'aliments, sans grand effort de ma part.

Petite sauce citronnée

Cette sauce raffinée est parfaite avec le poisson poché, mais aussi avec le blanc de volaille poché dans de l'eau aromatisée avec quelques oignons nouveaux et une poignée de champignons émincés. La saveur en sera plus marquée si vous remplacez le persil par de l'estragon.

Pour 3-4 personnes ~ Moins de 20 minutes

2 cuill. à café d'huile d'arachide
30-45 g de beurre
1 échalote hachée menu
quelques brins de persil commun ciselés
2 cuill. à café rases de fécule
10 cl de bouillon de poisson ou de volaille (p. 13), ou de jus de cuisson
5 cuill. à soupe de vin blanc sec
le zeste râpé d'un citron non traité et 1 cuill. à soupe env. du jus du citron
3 cuill. à soupe de crème fraîche, de crème fleurette ou de fromage blanc
1 jaune d'œuf
sel et poivre du moulin

1 Pendant que le poisson ou la volaille cuit, faites chauffer l'huile avec les deux tiers du beurre dans une petite casserole. Dès que celui-ci est fondu, ajoutez l'échalote et un peu de persil. Assaisonnez légèrement et remuez 1-2 min sur feu moyen.
2 Ajoutez la fécule, remuez et mouillez peu à peu avec le bouillon ou le jus de cuisson et le vin, en remuant bien. Ajoutez le zeste et portez à ébullition, sans cesser de remuer.
3 Donnez 2 ou 3 bouillons, en remuant de temps en temps, puis ajoutez la crème ou le fromage blanc. Baissez la flamme.
4 Dans un bol, délayez le jaune d'œuf et le jus de

KUB
OR
KUB KUB
OR OR
KUB KUB
OR OR
KUB
OR
POMMERY
POMMERY

citron avec 1 ou 2 cuill. à soupe de sauce chaude. Incorporez au fouet cette liaison à la sauce et fouettez quelques instants encore.
5 Au moment de servir, incorporez le reste de beurre à la sauce. Rectifiez l'assaisonnement, en ajoutant du citron, si besoin est. Ajoutez du persil ciselé et servez la sauce très chaude.

Sauce à l'oseille

Cette sauce acidulée se marie bien avec le poisson grillé ou poché, surtout le saumon et la truite, à chair grasse.

Pour 2 personnes ~ Moins de 20 minutes

85 g env. de jeunes feuilles d'oseille fraîche lavées
quelques brins de persil commun lavés
quelques feuilles de laitue lavées
45 g de beurre coupé en dés
3 cuill. à soupe de bouillon ou de jus de cuisson
3 cuill. à soupe de crème fraîche ou de yaourt brassé
sel et poivre du moulin

1 Pendant que le poisson cuit, faites la sauce : équeutez l'oseille, en retirant les grosses côtes, ciselez les feuilles de persil et de laitue.
2 Dans une casserole à fond épais, faites fondre la moitié du beurre, sur feu très doux, et faites revenir les feuilles jusqu'à ce qu'elles soient fondantes. Mouillez avec le bouillon ou le jus de cuisson ; puis allongez de crème ou de yaourt. Assaisonnez légèrement. Réservez au chaud le temps de dresser le poisson sur les assiettes de service.
3 Pour servir, incorporez au fouet le reste de beurre à la sauce et nappez-en le poisson.

Mayonnaise

La mayonnaise accompagne délicieusement le poisson poché, la viande froide, les œufs durs, de poule ou de caille, les crudités et les petites pommes de terre nouvelles cuites à l'eau. Elle montera en peu de temps si tous les ingrédients sont à température ambiante.

Pour 4 personnes ~ Moins de 15 minutes

1 jaune d'œuf
1 cuill. à soupe de moutarde forte
1 cuill. à café de vinaigre de vin fin
20 cl env. d'huile d'arachide, ou 15 cl d'huile d'arachide et 3 cuill. à soupe d'huile d'olive
un trait de jus de citron
sel et poivre du moulin

1 Mettez le jaune d'œuf dans une jatte avec un peu de sel et de poivre. Ajoutez la moutarde et le vinaigre, sans remuer. Si vos ingrédients ne sont pas à température ambiante, couvrez d'une mince couche d'huile et laissez reposer 15 min avant de remuer.
2 Calez la jatte sur plusieurs épaisseurs de papier absorbant humecté. Fouettez les ingrédients jusqu'à ce qu'ils soient lisses. (Je le fais au mixeur, mais un fouet ou une cuillère en bois conviennent aussi, avec beaucoup d'huile de coude !)
3 Tout en fouettant, versez quelques gouttes d'huile. Dès qu'elle est incorporée, ajoutez-en à nouveau un peu, sans cesser de fouetter.
4 Continuez à verser l'huile goutte à goutte, jusqu'à ce que la sauce épaississe, puis versez-la en filet mince, tout en fouettant jusqu'à ce qu'elle prenne. Si vous utilisez de l'huile d'olive, incorporez-la sitôt l'huile d'arachide épuisée.
5 Fouettez jusqu'à ce que votre mayonnaise soit épaisse et brillante. Goûtez et rectifiez l'assaisonnement, avec un trait de jus de citron. Couvrez et mettez au frais.

Pour l'aïoli, pilez une grosse gousse d'ail, ou plusieurs selon le goût, et ajoutez-la au jaune et aux autres ingrédients avant de monter la sauce. Pour une rouille express, incomparable avec la soupe de poisson, ajoutez une petite gousse d'ail pilée et une pointe de harissa aux ingrédients de départ. Incorporez 2 à 3 cuill. à café de concentré de tomate dès que la mayonnaise est prise. Relevez de paprika ou de poivre de Cayenne.

Hollandaise minute

Réaliser une version rapide de cette sauce est un jeu d'enfant, à condition d'avoir un robot ménager. Elle est parfaite avec le poisson poché et les asperges.

Pour 4 personnes ~ Moins de 10 minutes

1 cuill. à soupe de vinaigre de vin fin
2 petits jaunes d'œuf ou 1 gros
150 g env. de beurre
sel et poivre du moulin

1 Dans une petite casserole, faites bouillir le vinaigre avec 4 cuill. à soupe d'eau ; laissez réduire jusqu'à ce qu'il n'en reste que 1 cuill. à soupe env.
2 Mixez les jaunes au robot. Versez-y le vinaigre réduit et mixez quelques instants encore.
3 Faites fondre le beurre dans la casserole à feu doux.
4 Sans arrêter le robot, incorporez le beurre fondu à la préparation. Travaillez la sauce jusqu'à ce qu'elle épaississe. Salez et poivrez.

Croûtons à l'ail

La méthode est identique pour des croûtons non aillés. Pour préparer des croûtes aromatisées, à servir telles quelles en apéritif ou pour accompagner soupes et salades, ajoutez au pain huilé du parmesan râpé, des filets d'anchois pilés, une pointe de concentré de tomate ou une pincée d'herbes aromatiques séchées.

Pour 4 personnes ~ Moins de 10 minutes

4 belles tranches de pain, sans la croûte
1 grosse gousse d'ail coupée en deux
1 à 2 cuill. à soupe d'huile d'olive vierge
sel et poivre du moulin

1 Préchauffez le gril au maximum. Baissez la température et faites griller le pain une minute de chaque côté – il doit être à peine doré. Retirez-le, mais n'éteignez pas le gril.
2 Avec la lame d'un grand couteau, aplatissez les demi-gousses d'ail, que vous frotterez sur le pain.
3 Versez l'huile d'olive dans une assiette, mettez-y une tranche de pain et retournez-la pour huiler l'autre face. Huilez ainsi tout le pain.
4 Assaisonnez légèrement et faites dorer au gril. Coupez en petits cubes avant de servir.

Petite crème

Cette crème parfumée passe-partout est idéale avec les fruits rouges ou à chair tendre et les tartes aux fruits (p. 125). On peut la parfumer diversement : avec du zeste de citron jaune ou vert finement râpé, de la menthe ciselée ou du gingembre au sirop haché.

Pour 4 personnes ~ Moins de 5 minutes, plus temps de réfrigération

4 grosses cuill. à soupe de fromage blanc ou de crème fraîche
4 grosses cuill. à soupe de yaourt velouté bien frais
1-2 cuill. à soupe de lait
2 cuill. à café de zeste d'orange non traitée, finement râpé
2-3 cuill. à soupe de Cointreau, de kirsch ou autre liqueur (facultatif mais recommandé)
sucre glace selon le goût

1 Fouettez ensemble le fromage ou la crème avec le yaourt. Allongez avec un peu de lait. Ajoutez le zeste et, le cas échéant, la liqueur.
2 Ajoutez du sucre glace selon le goût et mettez au frais jusqu'au moment de servir.
3 Avant de servir, rectifiez saveur et consistance en ajoutant sucre glace, lait ou liqueur.

ENDEAVOUR II

Soupes et Hors-d'œuvre

Une petite assiette de crudités
rafraîchissantes au déjeuner,
une bonne soupe chaude au dîner…
il n'est de repas digne de ce nom
sans une entrée légère.

Potage au cresson

Pour 2-3 personnes ~ Moins de 30 minutes

1 tranche de lard fumé découenné et taillé en lardons, ou 2 cuill. à café d'huile
1 pomme de terre à chair ferme (de 170 g env.), taillée en dés
25 cl de bouillon de volaille ou de légumes (p. 13)
100 g de cresson préparé et lavé
15-30 g de beurre
2 cuill. à café combles de yaourt à la grecque ou velouté
sel et poivre du moulin

1 Faites bouillir de l'eau. Dans une casserole à fond épais sur feu moyen, mettez les lardons à dorer, en remuant de temps en temps, ou versez l'huile dans le récipient préchauffé.
2 Ajoutez les dés de pomme de terre et remuez pour bien les enrober de matière grasse. Versez le bouillon et couvrez d'eau bouillante. Salez, poivrez et augmentez la flamme.
3 Dès que le liquide commence à bouillir, baissez la flamme et ajoutez le cresson. Couvrez et laissez mijoter 10-15 min, jusqu'à ce que la pomme de terre soit cuite.
4 Travaillez la soupe au mixeur afin qu'elle soit homogène. Remettez sur feu doux. Rectifiez l'assaisonnement et, si besoin est, allongez d'eau bouillante.
5 Transférez dans des assiettes chaudes, agrémentez d'une noix de beurre et de yaourt et servez immédiatement.

En haut Potage au cresson
En bas Gratinée express

Gratinée express

Pour 2 personnes ~ Moins de 30 minutes

1/2 cuill. à soupe d'huile
30 g de beurre
1 gros oignon doux ou 5 oignons nouveaux assez gros finement émincés
40 cl de bouillon de volaille ou de légumes, ou équivalent (p. 13)
10 cl de vin blanc demi-sec
75 g de bon gruyère ou d'emmenthal râpé
6 fines tranches de baguette
sel et poivre du moulin

1 Dans une sauteuse, faites chauffer l'huile sur feu moyen. Ajoutez le beurre en le remuant le temps qu'il fonde, puis mettez l'oignon. Augmentez la flamme, assaisonnez légèrement et laissez revenir quelques instants, jusqu'à ce que l'oignon soit doré, en remuant souvent.
2 Versez le bouillon et le vin et portez à ébullition. Baissez la flamme et couvrez. Laissez frémir 12 min, ou davantage si vous avez le temps.
3 Pendant ce temps, préchauffez le gril à chaleur forte. Couvrez le pain de fromage râpé et poivrez-le.
4 Répartissez l'oignon dans deux bols allant au four. Versez le bouillon et posez une croûte au fromage dans chaque bol.
5 Faites gratiner sous le gril. Servez aussitôt.

Soupe fraîche à l'avocat et à la tomate

Mets estival classique s'il en est, cette soupe fut concoctée en famille pour ne pas gaspiller l'abondante récolte de tomates et d'herbes, et utiliser le robot ménager flambant neuf auquel mon père ne parvenait pas à faire une petite place dans sa cuisine. L'avocat gomme l'acidité de la tomate, mais d'autres ingrédients peuvent convenir aussi. Passer les tomates au chinois paraîtra fastidieux si l'on a peu de temps. Pourtant, c'est ce qui métamorphose la texture.

Pour 6 personnes ~ Moins de 15 minutes

550 g de tomates mûres coupées en quartiers
1 gousse d'ail pilée
2 petits avocats mûrs, pelés et coupés en morceaux
le jus d'un demi-citron
quelques brins d'herbes fraîches : persil, cerfeuil, ciboulette, thym et basilic
coriandre et cumin en poudre : 1 pincée de chaque
eau glacée
1/4 cuill. à café de harissa ou quelques gouttes de Tabasco
60-80 g de fromage blanc (ou un mélange de yaourt brassé et de fromage blanc)
sel et poivre du moulin
glacons pour servir

1 Écrasez les tomates au robot ménager, puis, au-dessus d'un saladier, passez la purée obtenue au chinois.
2 Mixez ail, avocats, herbes et épices avec le robot, en réservant au préalable quelques brins d'herbes pour garnir. Assaisonnez légèrement.
3 Ajoutez la purée de tomate et le fromage blanc, ou le mélange à base de yaourt. Mixez le tout et allongez d'eau glacée jusqu'à ce que la consistance soit à votre goût. Rectifiez l'assaisonnement, en épiçant davantage si vous aimez.
4 Au moment de servir, mettez quelques glaçons dans chaque assiette et décorez d'herbes fraîches.

Velouté aux épinards

Un velouté simplissime... J'aime l'association épinards et chèvre frais. Pour un premier essai, la soupe sera peut-être plus douce au palais si vous l'agrémentez de petits-suisses dilués dans du lait.

Pour 4 personnes ~ Moins de 30 minutes

1 cuill. à café d'huile
1 pomme de terre à chair ferme (de 170 g env.) coupée en dés
350 g d'épinards préparés et lavés
1 pincée de noix de muscade râpée
quelques gouttes de Tabasco
un trait de sauce soja
4 grosses cuill. à soupe de chèvre frais, ou de petits-suisses délayés dans du lait (en réserver pour garnir)
sel et poivre du moulin

1 Faites bouillir un grand volume d'eau.
2 Mettez l'huile dans une casserole à fond épais ou une sauteuse placée sur feu moyen. Ajoutez la pomme de terre, assaisonnez et remuez 1 min pour l'enrober.
3 Couvrez d'eau bouillante, portez à ébullition et laissez cuire 5-8 min.
4 Ajoutez les épinards, en en réservant quelques-uns. Relevez avec muscade, sauce Tabasco et sauce soja. Laissez cuire 5 min env.
5 Remettez l'eau à bouillir. Pendant ce temps, incorporez à la soupe le chèvre ou les petits-suisses, en remuant.
6 Transvasez le velouté et travaillez-le au robot.
7 Transférez-le dans le récipient de cuisson. Rincez le robot avec de l'eau et versez dans le velouté.
8 Rectifiez assaisonnement et consistance, en allongeant d'eau bouillante.
9 Versez dans des assiettes chaudes, avec un soupçon de chèvre ou de petits-suisses, et décorez avec les épinards réservés ciselés. Poivrez, si besoin est.

Petite soupe au pistou

Cette soupe nourrissante constitue un repas à elle seule. Et offre l'avantage d'être tout indiquée pour les végétariens. La mayonnaise au basilic peut apprêter pâtes et légumes. Ajoutez-y une échalote et des câpres hachées et servez-la avec le bœuf ficelle (p. 82) ou le poulet utilisé pour un bouillon (p. 13).

Pour 4-6 personnes ~ Moins de 30 minutes

2 cuill. à soupe d'huile d'olive
2 gros oignons nouveaux émincés
2 gousses d'ail pilées
400 g de tomates au naturel concassées et leur jus
350 g env. de jardinière de légumes (courgettes, carottes, mange-tout émincés)
55 g de fèves surgelées
170 g de vermicelles ou de coquillettes
170 g de haricots blancs ou rouges au naturel égouttés
55 g de gruyère ou de parmesan râpé
sel et poivre du moulin
croûtons aillés (p. 17) pour servir

Mayonnaise au basilic
1 œuf
1 cuill. à café de moutarde de Dijon
10 cl d'huile d'arachide ou de tournesol
5 cuill. à soupe d'huile d'olive
2 cuill. à café de vinaigre de vin
2 bonnes cuill. à soupe de crème fraîche
quelques brins de persil
quelques feuilles de basilic

1 Faites bouillir un grand volume d'eau. Faites chauffer l'huile dans une casserole à fond épais ou une sauteuse et mettez-y oignons et ail à revenir quelques minutes sur feu moyen.
2 Ajoutez les tomates et leur jus. Remuez et assaisonnez.
3 Ajoutez la jardinière, couvrez d'eau bouillante, remuez et portez à ébullition.
4 Ajoutez les pâtes et de l'eau bouillante (2,5 cm d'eau au-dessus des pâtes). Faites reprendre l'ébullition.
5 Laissez cuire 12 min env., jusqu'à ce que les pâtes soient *al dente*. Ajoutez fèves et haricots et laissez-les chauffer.
6 Pendant que la soupe cuit, faites la mayonnaise. Faites cuire l'œuf 3 min à l'eau bouillante, prélevez le jaune et mettez-le dans une jatte. Réservez le blanc.
7 Travaillez le jaune avec une pincée de sel, la moutarde et le vinaigre au batteur électrique ; incorporez l'huile goutte à goutte au départ, puis en filet mince. Ajoutez l'huile d'olive de la même façon. Dès que l'huile est incorporée, allongez la mayonnaise de crème.
8 Hachez le blanc d'œuf et ajoutez-le à la sauce avec persil et basilic ciselés. Salez légèrement et poivrez plus généreusement.
9 Au moment de servir la soupe, rectifiez l'assaisonnement et agrémentez-la de fromage râpé. Présentez avec des croûtons aillés et la mayonnaise au basilic.

Salade de tomates aux petits oignons

Pour 4 personnes ~ Moins de 20 minutes

2 belles tomates mûres, ou 4 de grosseur moyenne
2 gros oignons nouveaux ou 1 échalote
quelques brins de cerfeuil ou de persil commun
3 cuill. à soupe d'huile d'olive
2 cuill. à café de vinaigre de vin fin ou de jus de citron
gros sel et poivre du moulin
tranches de pain pour servir

1 Coupez les tomates en fines rondelles, épépinez-les et, le cas échéant, ôtez le cœur.
2 En partant du centre d'un plat rond, disposez-les joliment en faisant se chevaucher les rondelles.
3 Coupez les oignons en fines rondelles, ou hachez finement l'échalote, et répartissez sur les tomates avec un peu de gros sel et de poivre.
4 Ciselez les herbes au-dessus du plat.
5 Mélangez l'huile et le vinaigre ou le jus de citron. Assaisonnez et répartissez cette vinaigrette sur la salade.
6 Laissez-la quelques minutes à température ambiante avant de servir avec le pain.

Chou râpé

Pour 4 personnes ~ Moins de 15 minutes

1 petit chou rouge ou blanc, ou un mélange des deux, coupé en quatre, cœur retiré
4-6 cuill. à soupe d'huile d'arachide ou de tournesol
1 cuill. à soupe de vinaigre de vin
sel et poivre du moulin
1/2 cuill. à café de moutarde douce
brin de thym

1 Faites la vinaigrette dans une tasse en mélangeant huile, vinaigre et moutarde. Salez et poivrez bien. Ciselez le thym.
2 Râpez le chou avec le robot ménager. Sinon, taillez-le en fines lanières avec un couteau pointu.
3 Incorporez la vinaigrette, en remuant. Si vous avez le temps, laissez reposer quelques instants avant de servir.

Carottes râpées

Ajoutez une poignée d'olives noires dénoyautées et des œufs durs coupés en quatre pour avoir une entrée plus nourrissante et plus colorée.

Pour 4 personnes ~ Moins de 20 minutes

400 g de belles carottes fermes, grattées
4-5 cuill. à soupe d'huile d'olive (un peu plus, le cas échéant)
zeste d'orange non traitée (1/2 cuill. à café) et 1 cuill. à soupe de jus d'orange
le jus d'un citron
quelques brins de persil commun
brin d'estragon
sel et poivre du moulin

1 Râpez les carottes avec le robot ménager. Si vous les râpez à la main, tenez-les en biais pour obtenir des fragments plus longs.
2 Dans une tasse, mélangez huile, zeste et jus d'orange et de citron, en réservant 1-2 cuill. à café de ce dernier. Assaisonnez selon le goût.
3 Mélangez les carottes à la sauce, en remuant bien. Laissez reposer quelques minutes si vous avez du temps devant vous.
4 Au moment de servir, ajoutez les herbes ciselées, rectifiez l'assaisonnement, en ajoutant citron ou huile d'olive. Les carottes doivent être bien imprégnées de sauce.

Terrine de saumon fumé

Pour 4 personnes ~ Moins de 25 minutes

150 g de saumon fumé coupé en lamelles
2 brins de thym frais ciselé
le jus et le zeste finement râpé d'un demi-citron non traité
55 g de beurre doux
1 cuill. à soupe d'huile d'arachide
4 cuill. à soupe de yaourt à la grecque ou velouté
paprika
poivre du moulin

Pour servir
4 tranches de pain brioché grillé
feuilles de salade légèrement assaisonnées avec un peu d'huile d'arachide et de sel

1 Avec le robot ménager, mixez le saumon quelques secondes avec le thym, le jus et le zeste de citron.
2 Ajoutez le beurre, l'huile et le yaourt. Relevez légèrement de poivre et de paprika. Travaillez brièvement le tout pour bien mélanger.
3 Rectifiez l'assaisonnement, en forçant sur le paprika.
4 Servez sur des assiettes à hors-d'œuvre avec une tranche de pain grillé beurré et un peu de salade.

Pages précédentes
À gauche Chou râpé
En haut à droite Salade de tomates aux petits oignons
En bas à droite Carottes râpées

Mousse de foies de volaille tricheuse

Dans une petite auberge de la Brenne, au nord de la Touraine, une de mes amies restauratrice me servit un jour une mousse de foies de volaille onctueuse et richement parfumée, qui fondait littéralement dans la bouche. Nécessité étant mère d'invention, j'ai essayé de recréer le délice de mon amie un soir que j'avais mangé une mousse de foies de volaille décevante achetée chez un traiteur. Le résultat fut moins probant, mais les invités m'en demandèrent malgré tout la recette.

Pour 4 personnes ~ Moins de 30 minutes

100 g de mousse de foies de volaille du commerce
45 g de beurre
1 cuill. à soupe de fromage blanc ou de crème fraîche
1 cuill. à soupe de madère ou de porto
1/2 cuill. à café de cognac
poivre de Cayenne
sauce Tabasco
sauce Worcestershire
6 grains de poivre vert
pain brioché grillé coupé en bâtonnets pour servir

1 Coupez la mousse de foies en petits morceaux.
2 Avec le robot ménager, mixez quelques secondes mousse, beurre, fromage ou crème, vin cuit et cognac.
3 Goûtez et, selon le goût, relevez d'une pointe de Cayenne, de quelques gouttes de Tabasco et de sauce Worcestershire et de poivre vert. Mixez à nouveau quelques instants et mettez au frais 15 min, ou jusqu'au moment de servir.
4 Servez avec le pain grillé chaud.

Fonds d'artichaut surprise

Pour 4 personnes ~ Moins de 20 minutes

4-8 (selon grosseur) fonds d'artichaut au naturel égouttés
1 cuill. à soupe d'huile d'olive
2 tranches fines de jambon de Parme, de Bayonne ou de Serrano
quelques gouttes de Tabasco
2 grosses cuill. à soupe de fromage blanc
45 g de comté, de cheddar ou de parmesan frais râpé
poivre du moulin

1 Préchauffez le gril au maximum. Poivrez l'intérieur des fonds d'artichaut et badigeonnez-les légèrement d'huile.
2 Roulez les tranches de jambon et détaillez-les en fines lanières.
3 Mettez la moitié du jambon dans un saladier avec quelques gouttes de Tabasco, le fromage blanc et la moitié du fromage râpé. Mélangez le tout et poivrez.
4 Garnissez chaque fond d'une grosse noix de cette préparation. Terminez avec le reste de jambon et de fromage râpé. Poivrez à nouveau.
5 Faites gratiner quelques minutes sous le gril. Servez chaud.

CI-CONTRE *Fonds d'artichaut surprise*

Asperges et trois petites sauces au choix

Il existe différentes variétés d'asperges, plus ou moins grosses. Chez moi, dans la Loire, on cultive une variété charnue et violette, dont la saison est très brève au début du printemps. Les restaurateurs de la région suggèrent telle ou telle variété d'asperges à leurs habitués, et la note est en conséquence. Je les prépare une fois l'an – en grande pompe – et savoure chaque bouchée. Le reste de l'année, je me contente des petites asperges vertes de mon marché ou supermarché.
La vinaigrette à l'échalote est également idéale avec les poireaux cuits à l'eau, égouttés et servis tièdes.

Pour 4 personnes ~ Moins de 25 minutes

450 g d'asperges vertes
sel et poivre du moulin

VINAIGRETTE À L'ÉCHALOTE
2 œufs
1 petite échalote finement hachée
1 grosse cuill. à café de moutarde de Dijon
10 cl d'huile d'arachide ou d'olive
4 cuill. à café de vinaigre de vin
quelques brins de persil commun

MAYONNAISE À LA TOMATE ET À L'ESTRAGON
1 cuill. à café rase de moutarde de Dijon
1 cuill. à soupe de concentré de tomate
1 grosse cuill. à soupe de crème fraîche ou de fromage blanc
17,5 cl de mayonnaise (p. 16)
quelques brins d'estragon ciselés

BEURRE FONDU AUX HERBES
100 g de beurre doux fractionné
quelques brins de cerfeuil ou de ciboulette
1 cuill. à café 1/2 de jus de citron
paprika

1 Préparez les sauces froides. *Vinaigrette à l'échalote :* dans une petite casserole, faites durcir les œufs à l'eau bouillante pendant 8-10 min. Plongez-les

quelques minutes dans l'eau froide, puis écalez-les.
2 Dans un bol, pilez l'échalote avec une grosse pincée de sel. Ajoutez la moutarde et, au fouet, incorporez l'huile et le vinaigre. Fouettez jusqu'à ce que la sauce prenne. Salez et poivrez.
3 Ciselez le persil. Hachez finement, séparément, les blancs et les jaunes d'œuf. Si vous avez le temps, affinez-les au chinois.
4 *Mayonnaise à la tomate et à l'estragon :* avec un mixeur ou un robot ménager, incorporez à la mayonnaise moutarde, concentré de tomate et crème ou fromage blanc. Rectifiez l'assaisonnement, mais n'ajoutez pas encore l'estragon.
5 Faites cuire les asperges : mettez 5 cm d'eau salée dans une grande casserole et portez-la à ébullition. Coupez le bout fibreux des asperges, en ne gardant que 10-12 cm de tige. Mettez dans l'eau bouillante, attendez que l'ébullition reprenne et laissez cuire 4-6 min.
6 Pendant que les asperges cuisent, préparez le beurre aux herbes : faites fondre le beurre sur feu doux dans une casserole. Ciselez les herbes au-dessus du récipient, et relevez selon le goût avec citron, sel, poivre et paprika.
7 Avec une écumoire, sortez les asperges, en les égouttant bien. Videz le récipient et replacez-le sur feu doux. Étalez les asperges dedans et asséchez-les pendant 30-40 secondes – elles seront plus croquantes.
8 Retirez-les du récipient et dressez-les en éventail sur des assiettes. Servez-les tièdes ou à température ambiante avec la sauce de votre choix.
9 Le cas échéant, arrosez-les de vinaigrette et décorez-les joliment avec les œufs durs hachés et du persil. Sinon, ajoutez l'estragon à la mayonnaise avant de servir ou nappez les asperges de beurre fondu chaud avant de les déguster.

Asperges et trois petites sauces au choix

PLATS AUX ŒUFS

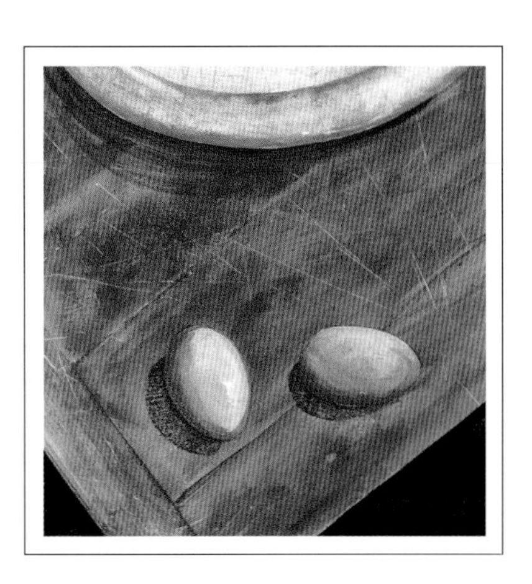

Tous les jours dans les cafés
de France et de Navarre,
on avale rapidement un œuf dur
avec un café noir ou un demi
pour combler
le « petit creux » et tenir le coup
jusqu'au prochain repas.
Que serait notre cuisine
sans les œufs ?

Œufs à la coque gourmande

Prenez un œuf frais pondu dans la grange, faites-le cuire à la coque et vous aurez un délice de gourmet en quelques minutes. Enfant, lors de mes vacances en Touraine chez mes grands-parents, c'était mon dîner préféré, avec des mouillettes. On s'offrait souvent ce régal, car il y avait une ferme toute proche, et nul ne se souciait de son cholestérol… Aujourd'hui, je me débrouille avec des œufs emballés il y a moins de 2 à 3 jours. Avec des mouillettes tièdes aux herbes et une garniture colorée, ils constituent une entrée simple pour un dîner.

Pour 4 personnes ~ Moins de 15 minutes

4 gros œufs très frais
3 tranches de pain de mie ou brioché, sans la croûte
55 g de beurre
quelques brins de persil et de ciboulette (ou de cerfeuil)
sel et poivre du moulin

Garniture
Au choix : 4 grosses cuill. à café d'œufs de saumon 30 g de saumon fumé émincé ; 4 cuill. à café de crème fraîche ; 4 grosses cuill. de beurre ramolli additionné d'estragon ciselé ou de 4 filets d'anchois émincés, ou encore de 2 cuill. à café de poivre vert

1 Préchauffez le gril et faites bouillir un peu d'eau.
2 Mettez les œufs dans une casserole juste assez grande pour les contenir et versez de l'eau bouillante dessus. Cuire à petits frémissements 3-5 min, selon le degré de cuisson souhaité.
3 Pendant ce temps, beurrez le pain et faites-le dorer au gril. Entre-temps, ciselez les herbes dans une soucoupe et préparez, le cas échéant, la garniture
4 Beurrez l'autre côté du pain et faites-le griller. Coupez les tranches en quatre, enrobez-les d'herbes.
5 Mettez les œufs dans un coquetier, coupez le haut et agrémentez de la garniture de votre choix. Mettez-en aussi une noix sur le « chapeau ». Présentez chaque œuf sur une belle assiette avec 3 mouillettes. Disposez sel et poivre sur la table.

Piperade

Cette spécialité basque, cousine éloignée de la *tortilla* espagnole, s'apprécie avec du pain de campagne et une salade. Les œufs ne doivent pas être trop cuits.
Je ne supporte pas les poivrons mal cuits. Si je ne suis pas pressée, ou si j'en ai de prêts au réfrigérateur, j'emploie des poivrons grillés (voir Poivrons au four, p. 103). Si je dois partir d'un « piper » cru (nom béarnais du poivron), je le taille en fines lanières et le fais égoutter sur plusieurs épaisseurs de papier absorbant.

Pour 2 personnes ~ Moins de 25 minutes

1 cuill. à soupe 1/2 d'huile d'olive, de graisse d'oie ou de saindoux
3 belles ciboules, partie verte ciselée et bulbes émincés
1 petit poivron rouge ou jaune à maturité, épépiné et coupé en fines lanières
2-3 tomates mûres, ébouillantées, pelées, épépinées et concassées, ou 175 g de tomates au naturel concassées et bien égouttées
1 gousse d'ail pilée
thym et origan séchés : 1 pincée de chaque
1 tranche de jambon de Bayonne finement émincée
1 pincée de sucre (facultatif)
4 gros œufs
sel et poivre du moulin

1 Dans un poêlon placé sur feu modéré, faites chauffer l'huile ou fondre la matière grasse.
2 Ajoutez les ciboules et remuez pendant 1 min. Ajoutez poivron, tomates, remuez et baissez le feu.
3 Incorporez l'ail et les herbes. Laissez cuire 5-8 min, en remuant de temps en temps, jusqu'à ce que les légumes soient tendres.
4 Ajoutez le jambon. Assaisonnez selon le goût, en adoucissant avec du sucre si l'ensemble est trop acide.

5 Laissez cuire 1 min. Cassez les œufs dans un saladier et battez-les en omelette à la fourchette.
6 Versez dans le poêlon et remuez quelques instants sur feu doux, le temps que les œufs prennent sans être trop secs. Servez aussitôt.

ŒUFS BROUILLÉS AUX FINES HERBES

Ne brusquez jamais les œufs brouillés : ils seront juste comme il faut si vous les laissez cuire gentiment, de 10 à 12 min.

Pour 2-3 personnes ~ Moins de 20 minutes

4 gros œufs ou 5 de grosseur moyenne
45 g de beurre
1 cuill. à soupe de crème fraîche, de fromage blanc ou de lait
quelques brins de cerfeuil ou de ciboulette ciselés
sel et poivre du moulin
tranches de pain de mie, sans la croûte, légèrement grillées et beurrées, et coupées en trois ou en triangles

1 Battez légèrement les œufs ; ils ne doivent pas mousser.
2 Dans un poêlon, faites fondre la moitié du beurre sur feu doux, en inclinant le récipient pour bien le napper.
3 Coupez le reste du beurre en dés.
4 Versez les œufs dans le poêlon et faites cuire à feu doux, en remuant très souvent avec une spatule ou une cuillère en bois. De temps en temps, retirez le récipient du feu pour ralentir la cuisson.
5 En cours de cuisson, incorporez peu à peu le reste de beurre, en en réservant un morceau.
6 Sitôt les œufs pris, ajoutez crème, fromage ou lait.
7 Assaisonnez selon le goût. Retirez du feu. Ajoutez les herbes ciselées et le dernier morceau de beurre. Remuez et dégustez avec le pain grillé.

ŒUFS BROUILLÉS AUX GIROLLES

Pour 2-3 personnes ~ Moins de 20 minutes

4 gros œufs ou 5 de grosseur normale
2 cuill. à café d'huile d'arachide
1/2 gousse d'ail
45 g de beurre
115 g de girolles ou autres petits champignons sauvages frais
1 cuill. à soupe de crème fraîche, de fromage blanc ou de lait
1 ou 2 brins de persil ou de ciboulette ciselés
sel et poivre du moulin
tranches de pain de mie sans la croûte, légèrement grillées et beurrées, et coupées en triangles

1 Huilez un poêlon et frottez-le d'ail.
2 Coupez le beurre en trois. Sur feu moyen, faites-en fondre un morceau dans le poêlon, en l'inclinant pour qu'il en soit bien nappé.
3 Faites-y revenir les champignons, légèrement assaisonnés, pendant 2-3 min, en remuant souvent.
4 Battez légèrement les œufs ; ils ne doivent pas mousser.
5 Transférez les champignons sur un plat garni de papier absorbant.
6 Baissez la flamme. Faites fondre un deuxième morceau de beurre dans le poêlon.
7 Versez-y les œufs. Laissez cuire doucement, en remuant très souvent avec une spatule ou une cuillère en bois et en retirant à plusieurs reprises le récipient de la chaleur pour ralentir la cuisson.
8 Dès que les œufs prennent, ajoutez les champignons et le reste de beurre.
9 Retirez le poêlon du feu, incorporez crème, fromage ou lait et assaisonnez. Ajoutez les herbes. Servez immédiatement avec le pain grillé.

PAGES SUIVANTES
À GAUCHE Œufs brouillés aux girolles
À DROITE Œufs brouillés aux fines herbes

Soufflé au roquefort

Le soufflé obtenu doit être doré à l'extérieur, mais de consistance souple et moelleuse au cœur.

Pour 2 personnes en plat principal, 4 en entrée ~ Moins de 45 minutes

30 g de beurre (plus de quoi beurrer le moule)
30 g de farine
22,5 cl de lait
poivre de Cayenne
1 petite pincée de noix de muscade râpée
3 œufs assez gros très frais, plus le blanc d'un autre, à température ambiante
85-100 g de roquefort émietté
sel et poivre du moulin

1 Préchauffez le four à 190 °C. Beurrez jusqu'au bord un moule à soufflé de 15 cm env. de diamètre. À défaut, prenez 2 ramequins. Ayez vos autres ustensiles et ingrédients à portée de main.
2 Dans une casserole, faites fondre le beurre, sur feu moyen ; ajoutez la farine. Remuez bien pour que le beurre l'absorbe.
3 Versez le lait, peu à peu, en battant bien. Remuez souvent jusqu'au premier bouillon. Relevez de Cayenne et de muscade. Salez et poivrez.
4 Baissez la flamme et laissez frémir 3-4 min, en remuant de temps en temps. Retirez du feu et laissez refroidir quelques minutes, en remuant un peu.
5 Séparez les jaunes d'œuf des blancs – ces derniers doivent être dépourvus de jaune. Mettez les jaunes dans une tasse et les blancs dans un saladier. Fouettez-les en neige ferme.
6 Incorporez le fromage à la sauce, puis les jaunes, peu à peu. Remuez bien. Poivrez encore un peu.
7 Avec une cuillère en métal, incorporez à la sauce 1/4 env. des blancs battus et transférez le tout dans le saladier. Mélangez aux blancs en neige de sorte à obtenir une préparation homogène.
8 Versez dans le moule ou les ramequins. Comptez 25 min de cuisson dans un grand moule et 20 dans des ramequins, sans ouvrir le four pendant les 15 premières minutes env. Le soufflé doit être gonflé et doré, mais moelleux au cœur.
9 Servez immédiatement avec une salade verte.

Œufs au plat sur tartine

Pour 2 personnes ~ Moins de 20 minutes

2 tranches épaisses de pain de mie
1 cuill. à café d'huile d'arachide
55 g env. de beurre
2 petits œufs
sel et poivre du moulin
quartiers de tomate pour garnir (facultatif)

1 Beurrez et assaisonnez légèrement le pain.
2 Avec un emporte-pièce rond de 6 cm env. de diamètre, découpez un rond au milieu des tranches de pain.
3 Huilez légèrement une poêle assez grande. Chauffez sur feu moyen avant d'y mettre une grosse noix de beurre.
4 Dès que le beurre grésille, mettez le pain évidé dans la poêle et cassez délicatement un œuf au centre. Laissez cuire sur feu doux, en arrosant éventuellement les œufs de beurre fondu en cours de cuisson.
5 Mettez les 2 ronds de pain dans la poêle. Faites-les dorer 1 min de chaque côté. Réservez-les.
6 À l'aide d'une spatule trouée, transférez délicatement les œufs et leurs tartines sur des assiettes préchauffées. Coiffez d'un rond de pain et, éventuellement, de tomate. Assaisonnez et servez aussitôt.

Ci-contre
Œufs au plat sur tartine

Œufs en cocotte à l'oseille

Les œufs en cocotte (1 ou 2 par portion selon l'appétit) constituent un mets consistant pour un dîner. Dans cette recette, j'aime percevoir le goût aigrelet de l'oseille derrière celui des autres ingrédients, mais il y a maintes façons d'apprêter les œufs en cocotte. La méthode est la même avec des épinards. Essayez de la ciboulette ou de l'aneth avec du saumon fumé et du fromage blanc, ou du jambon de pays et du parmesan. Apprêt simple pour une saveur incomparable : estragon frais avec beurre et crème fraîche.

Pour 4 personnes ~ Moins de 25 minutes

55 g env. de beurre
une poignée de petites feuilles d'oseille équeutées, lavées et ciselées
4 cuill. à soupe de crème fraîche ou de crème fleurette
30 g de gruyère ou de cheddar râpé
1/2 cuill. à café de cumin, de coriandre ou de curry doux en poudre (facultatif)
4 gros œufs
sel et poivre du moulin

1 Préchauffez le four à 180 °C et faites bouillir un grand volume d'eau.
2 Entre-temps, faites fondre une noix de beurre dans une petite casserole, où vous ferez suer l'oseille 1-2 min en remuant. Mettez-la sur du papier absorbant et épongez-la.
3 Réservez une grosse noix de beurre et répartissez le reste dans 4 ramequins, que vous beurrerez uniformément.
4 Tapissez les ramequins d'oseille. Salez légèrement et poivrez bien.
5 Répartissez la crème dans les ramequins, parsemez de fromage et, le cas échéant, épicez.
6 Cassez un œuf dans chaque ramequin, assaisonnez légèrement et mettez une noisette de beurre.
7 Tapissez la lèchefrite de 2 ou 3 épaisseurs de papier journal et posez les ramequins dessus. Versez de l'eau bouillante (à mi-hauteur des ramequins).
8 Enfournez 10 min env., jusqu'au degré de cuisson souhaité.

Œufs surprise en brioche

Servez-les sur un lit de cresson et de laitue ou, en omettant la ciboulette, sur un lit d'épinards en branches (p. 102).

Pour 2 personnes ~ Moins de 30 minutes

2 brioches de boulangerie préalablement mises au frais
30 g de beurre
30 g de bleu d'Auvergne émietté
2 petits œufs ou 4 œufs de caille
quelques brins de ciboulette
poivre du moulin

1 Préchauffez une plaque de cuisson dans le four à 190 °C.
2 Coupez le « chapeau » des brioches et réservez-les. Avec un couteau pointu ou une petite cuillère, évidez-les (utilisez la mie dans une autre recette).
3 Avec une petite cuillère, déposez une noisette de beurre dans chaque cavité, puis un peu de fromage. Délicatement, cassez un œuf (ou 2 œufs de caille) dedans et poivrez.
4 Posez sur le dessus la moitié du beurre et du fromage qui restent.
5 Enfournez sur la plaque du four préchauffée et laissez cuire 15 min env., jusqu'à ce que le fromage soit fondu et que les œufs soient cuits. Enfournez les chapeaux au bout de 10 min.
6 Ciselez la ciboulette sur les œufs, remettez le chapeau et servez.

Omelette paysanne

Pour 2 personnes ~ Moins de 25 minutes

4 œufs
1 cuill. à soupe de lait
poivre de Cayenne
2 cuill. à café d'huile
45 g de beurre (en prévoir un peu plus, si besoin est)
sel et poivre du moulin

Garniture
1 cuill. à café d'huile
15 g de beurre
1 tranche de jambon coupée en lanières
1 gros oignon nouveau émincé
quelques feuilles de laitue roulées et taillées en chiffonnade
1 petite tomate épépinée et concassée (facultatif)
2 cuill. à soupe de gruyère ou de cheddar râpé

1 Préparez la garniture : dans une petite poêle avec l'huile chaude et le beurre fondu, sur feu moyen, faites revenir tous les ingrédients, sauf le fromage, jusqu'à ce qu'ils soient chauds. Ajoutez le fromage, assaisonnez légèrement et réservez au chaud.
2 Battez les œufs avec le lait et une pointe de Cayenne. Faites chauffer l'huile dans une poêle, ajoutez le beurre, en en réservant un peu. Dès qu'il mousse, avant qu'il brunisse, versez les œufs.
3 Laissez cuire sur feu moyen, en ramenant le mélange vers le centre avec une spatule dès qu'il commence à cuire au bord.
4 Dès que l'omelette est cuite mais moelleuse, soulevez-la avec la spatule pour glisser un peu de beurre dessous si nécessaire. Inclinez la poêle pour faire glisser l'omelette sur le côté droit du récipient.
5 Posez la garniture sur la moitié gauche de l'omelette et repliez l'autre moitié dessus. Faites-la glisser sur un plat préchauffé. Enduisez-la du beurre réservé. Salez, poivrez et servez.

Clafoutis au gruyère

Ma sœur Françoise m'a confié la recette de cette sorte de quiche lorraine sans pâte, facile à faire et qui peut se manger froide le lendemain.

Pour 4 personnes ~ Moins de 45 minutes

1 cuill. à café d'huile
170 g de lardons (p. 61)
3 ciboules émincées
2 tranches de jambon fumé dégraissées et coupées en fines lanières
3 gros œufs très frais
40 cl de lait entier
1/2 cuill. à café de thym séché
origan et sauge en poudre : 1 pincée de chaque
85 g de farine
140 g de gruyère ou de cheddar râpé
beurre pour le moule
quelques brins de persil frais
poivre du moulin

1 Préchauffez une plaque de cuisson dans le four à 220 °C.
2 Dans une poêle avec l'huile chaude, faites revenir les lardons sur feu modéré, pendant 2 min. Ajoutez les ciboules et le jambon. Poivrez et réglez sur feu doux.
3 Beurrez généreusement un moule de 25 cm de diamètre. Battez les œufs en omelette, versez le lait et battez à nouveau. Mettez les herbes, incorporez la farine tamisée et battez pour bien mélanger le tout. Ajoutez le fromage et poivrez légèrement.
4 Tapissez le moule beurré avec la préparation aux lardons. Poivrez légèrement et ciselez le persil dessus. Couvrez avec la préparation œufs-fromage.
5 Mettez sur la plaque préchauffée et enfournez 30-35 min, jusqu'à ce que le dessus soit doré. Vérifiez la cuisson au bout de 20 min et baissez la température s'il dore trop vite. Laissez quelques minutes dans le four, porte ouverte. Servir chaud.

Pages suivantes *Omelette paysanne*

Clafoutis aux épinards

Des courgettes émincées précuites (blanchies, égouttées et sautées) ou des asperges (p. 28) peuvent remplacer les épinards. Parfois, je remplace aussi le jambon par du poisson fumé émincé.

Pour 4 personnes ~ Moins de 45 minutes

1 cuill. à café d'huile
15 g de beurre (plus de quoi beurrer le moule)
350 g de feuilles d'épinard équeutées, lavées, ciselées
2 tranches fines de jambon fumé en lanières (facultatif)
1 petite pincée de noix de muscade râpée
3 gros œufs
35 cl de lait entier
3 cuill. à soupe de crème fraîche
85 g de farine
100 g de gruyère ou de cheddar râpé
sel et poivre du moulin

1 Préchauffez une plaque de cuisson à 220 °C.
2 Dans une poêle, sur feu moyen, faites chauffer l'huile et fondre le beurre. À feu plus vif, faites revenir les épinards 2-3 min, en remuant. Beurrez généreusement un moule de 25 cm de diamètre.
3 Ajoutez éventuellement le jambon aux épinards, avec la muscade, une pincée de sel et une dose généreuse de poivre. Retirez du feu.
4 Dans une jatte, battez les œufs en omelette, versez le lait et continuez à battre. Incorporez la crème, puis la farine, en remuant bien pour obtenir un mélange homogène. Incorporez délicatement le fromage. Salez légèrement et poivrez plus généreusement.
5 Tapissez le fond du moule d'épinards et couvrez avec la préparation au fromage.
6 Posez sur la plaque de cuisson préchauffée et enfournez 30-35 min, jusqu'à ce que le dessus soit doré. Vérifiez la cuisson au bout de 20 min et baissez la température s'il dore trop vite.
7 Laissez quelques minutes dans le four, porte ouverte. Servez chaud mais non brûlant.

«L'Economie»
BOURSE
L'ÉCONOMIE
Pourquoi les entreprises licencient
SPORTS
Rugby : ouverture anglaise

PETITS SNACKS ET PLATS LÉGERS

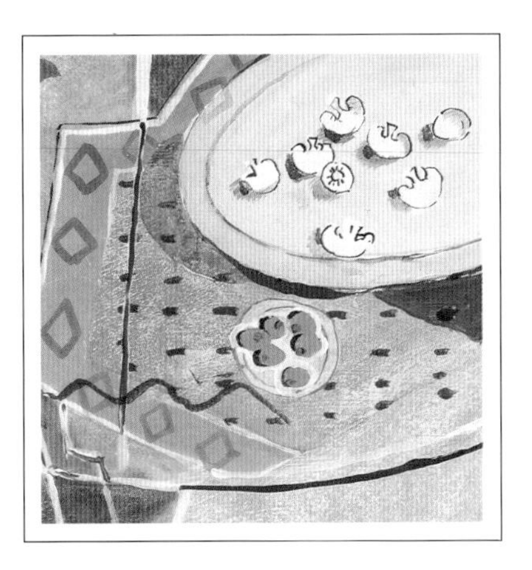

L'époque est révolue
où l'on s'asseyait à table deux heures
durant au déjeuner. Le plat unique
à midi a peu à peu détrôné
le menu à structure classique.

Croissants monsieur

Le croissant est une bénédiction du ciel et une mine d'or pour le cordon bleu pressé. La garniture à la fourme d'Ambert me fut suggérée par une pâtissière de Clermont-Ferrand que je complimentais pour le fondant de ses croissants. Nous y avions fait une halte pour un petit déjeuner tardif. Le cafetier n'ayant plus de croissants m'avait désigné la boulangerie-pâtisserie d'en face. « Ils sont trop bons pour les tremper dans du café », ai-je dit à la pâtissière. « Essayez de les fourrer avec de la fourme d'Ambert et de les passer sous le gril », me répondit-elle. Pour égayer vos croissants, fourrez-les !
Cette autre version du célèbre croque-monsieur plaît toujours. Pour faire des croissants madame, laissez-les ouverts et coiffez-les d'un œuf au plat ou poché.

Pour 2 personnes ~ Moins de 20 minutes

2 croissants frais
2 tranches fines de jambon, roulées et taillées en lanières
85 g de gruyère râpé
1 pincée de noix de muscade râpée
15 g de beurre
poivre du moulin

1 Préchauffez le gril. Ouvrez délicatement les croissants dans le sens de la longueur, sans détacher les deux moitiés.
2 Garnissez-les de jambon. Agrémentez de gruyère râpé, en en réservant un peu pour le dessus. Assaisonnez de noix de muscade et poivrez.
3 Passez-les 3-5 min sous le gril à chaleur moyenne, jusqu'à ce que le gruyère soit fondu.
4 Baissez la température du gril. Refermez délicatement les croissants. Répartissez gruyère râpé et beurre sur chacun d'eux et faites gratiner 2 min.

Ci-contre
Croissants à la fourme d'Ambert avec salade chiffonnade

Croissants à la fourme d'Ambert avec salade chiffonnade

Pour 4 personnes ~ Moins de 20 minutes

4 croissants frais
100 g de fourme d'Ambert ou autre fromage persillé
2 cuill. à soupe de yaourt velouté
1 cuill. à soupe de madère ou de vin cuit

Salade chiffonnade
1 cuill. à soupe d'huile de noix
1 cuill. à soupe d'huile d'arachide ou de tournesol
2 cuill. à café de jus de citron
1 petite laitue lavée
1 poignée de feuilles de roquette
1 petite poignée de cerneaux de noix frais
sel et poivre du moulin

1 Préchauffez le gril. Ouvrez délicatement les croissants dans le sens de la longueur, sans détacher les deux moitiés.
2 Émiettez le fromage. Travaillez-le 2 secondes au robot ménager. Ajoutez yaourt, madère ou vin cuit et mixez pour affiner l'ensemble.
3 Avec une spatule, étalez la garniture sur les 2 moitiés des croissants ouverts. Faites gratiner 2-3 min.
4 Refermez les croissants. Baissez la température et remettez sous le gril le temps qu'ils soient chauds.
5 Entre-temps, faites la salade : dans un saladier, mélangez les huiles avec le jus de citron. Salez et poivrez légèrement.
6 Roulez ensemble quelques feuilles de laitue et taillez-les en chiffonnade. Mettez dans le saladier avec la roquette et remuez.
7 Salez les cerneaux de noix et, dans une poêle à sec, faites-les chauffer 1-2 min sur feu moyen.
8 Dressez les croissants, avec un peu de salade, sur des assiettes, parsemez de cerneaux, servez chaud.

UNE COMMISSION
POUR CHATOU
(Scène véridique. Vesoul 1917)
C'était un beau, un très beau train de permission-
naires qui s'en allait, tout doucement, trop doucement
vers l'arrière.
33

TARTINES DE CHARCUTERIE

N'oublions pas l'humble tartine ! Le pain beurré des petits déjeuners et des goûters de notre enfance se prête facilement à toute une gamme de variations. Avec un peu de charcuterie, c'est un en-cas prêt en quelques minutes.

Pain Poilâne, pain complet, pain de seigle, boule de campagne : dans les bonnes boulangeries, depuis quelques années – peut-être pour compenser la qualité de plus en plus décevante du pain ordinaire –, on peut se laisser facilement tenter par le pain « haut de gamme ».

Un peu de beurre doux et pâle, une ou deux fines tranches de jambon de Bayonne ou de magret fumé, de saucisse sèche, de saucisson ou d'andouille, une couche de rillettes d'oie, un morceau de fromage de tête ou de pâté, et quelques rondelles de cornichon… arrosé d'un bon petit verre de vin, voilà un casse-croûte honnête et sans reproche.

Le seul travail consiste à choisir le vin (rouge bien sûr, du Sud-Ouest, un pécharmant ou un bon cahors), et à sortir le beurre du réfrigérateur assez à l'avance pour qu'il se tartine facilement.

TARTINES PROVENÇALES

Pour 4 personnes ~ Moins de 15 minutes

4 cuill. à soupe d'huile d'olive vierge extra
4 belles ciboules, bulbes émincés et partie verte ciselée
1 gousse d'ail pilée
4 tranches de pain de campagne
1 grosse tomate mûre pelée
6 olives noires dénoyautées et coupées en deux
4 filets d'anchois égouttés (facultatif)
2-3 feuilles de basilic
sel et poivre du moulin

1 Préchauffez le gril au maximum. Dans une petite poêle, faites chauffer 1 cuill. à soupe d'huile d'olive. Mettez-y ciboules et ail à revenir 2-3 min sur feu moyen, jusqu'à ce qu'ils soient tendres, en remuant.

2 Badigeonnez le pain avec de l'huile d'olive. Émincez les tomates. Selon le goût, épépinez-les et retirez un peu de pulpe.

3 Étalez la ciboule et l'ail sur le pain et disposez les rondelles de tomate dessus.

4 Sur chaque tranche, mettez 3 demi-olives et, éventuellement, un filet d'anchois. Ciselez du basilic sur les ingrédients, assaisonnez et arrosez avec le reste d'huile.

5 Passez quelques minutes sous le gril pour que les tartines soient bien chaudes. Ciselez encore un peu de basilic dessus et servez.

Baguette au brie fondu

C'est le genre d'en-cas facile à préparer. Le mélange brie fondu et poivre vert concassé est irrésistible. Pour obtenir des canapés insolites, coupez la baguette en fines tranches, que vous garnirez copieusement.

Pour 2 personnes ~ Moins de 15 minutes

1 cuill. à café rase de poivre vert
30 g env. de beurre ramolli
1/2 baguette, ou une ficelle, coupée en deux dans le sens de la longueur
75 g env. de brie bien fait, à température ambiante, sans la croûte
salade chiffonnade (p. 48) pour servir (facultatif)

1 Préchauffez le gril au maximum.
2 Travaillez le poivre vert avec le beurre, de sorte à écraser les grains. Étalez en couche fine sur le pain.
3 Divisez le brie en deux et coupez-le en lamelles, que vous disposerez sur le beurre aromatisé.
4 Baissez la température du gril et passez les tartines quelques minutes dessous pour faire fondre le brie.
5 Servez chaud avec, éventuellement, une salade chiffonnade.

Croûtes aux champignons

Pour 4 personnes ~ Moins de 25 minutes

1 cuill. à soupe d'huile
30 g de beurre
350 g de champignons mélangés émincés ou hachés grossièrement
4 tranches épaisses de pain brioché pas trop frais
1 petit bouquet de ciboulette
sauce Worcestershire
2 grosses cuill. à soupe de crème fraîche épaisse ou de fromage blanc
1 cuill. à soupe de vin cuit (xérès, porto ou madère)
sel et poivre du moulin

1 Faites chauffer l'huile avec la moitié du beurre dans une poêle. Préchauffez le gril au maximum.
2 Sur feu moyen, faites sauter les champignons 2-3 min dans la matière grasse, en remuant souvent. Assaisonnez modérément, ajoutez le reste de beurre et poursuivez la cuisson 3-5 min encore.
3 Faites griller légèrement le pain brioché.
4 Mettez les champignons dans le robot ménager, avec de la ciboulette ciselée, un trait de sauce Worcestershire, la crème ou le fromage, et le vin cuit. Assaisonnez légèrement et mixez le tout quelques secondes jusqu'à ce que le mélange soit onctueux, mais pas trop homogène.
5 Étalez-le sur le brioché grillé.
6 Passez quelques minutes sous le gril. Décorez de ciboulette ciselée avant de servir.

Pages suivantes
À gauche Tartines de charcuterie
À droite Tartines provençales

Tarte à la tomate

Pour 4 personnes ~ Moins de 45 minutes

30 g de beurre (plus de quoi beurrer le moule)
1 fond de tarte prêt à cuire en pâte feuilletée, de 24 cm de diamètre
1 gros œuf
1 grosse cuill. à soupe de mascarpone ou de fromage blanc
30 g de gruyère ou de cheddar râpé
1 cuill. à soupe de moutarde de Dijon
quelques brins d'herbes fraîches, par exemple, persil, thym, cerfeuil, sarriette, marjolaine et sauge ciselés, ou quelques pincées d'herbes de Provence séchées
2 tomates mûres ébouillantées et pelées
225 g de tomates au naturel concassées, égouttées
15 g de parmesan frais râpé
sel et poivre du moulin

1 Préchauffez le four à 220 °C. Faites précuire le fond de tarte en vous reportant aux indications de l'emballage. Au préalable, mettez-le dans un moule beurré de la même taille.
2 Dans une jatte, battez légèrement l'œuf. Mettez-en 1 cuill. à soupe dans une soucoupe, avec un peu d'eau, et badigeonnez-en le bord du fond de tarte.
3 Transférez l'œuf qui reste dans la jatte. Incorporez au fouet mascarpone ou fromage blanc, fromage râpé, moutarde et herbes. Assaisonnez.
4 Émincez finement les tomates fraîches. Selon le goût, ôtez graines et excès de pulpe.
5 Ajoutez les tomates égouttées au mélange œuf-fromage. Étalez-le sur le fond de tarte. Disposez les rondelles de tomate dessus, parsemez de parmesan et poivrez. Terminez par des noix de beurre.
6 Enfournez 20-30 min, jusqu'à ce que la pâte soit dorée et la garniture cuite. Vérifiez au bout de 15-20 min : si le dessus dore trop vite, couvrez-le de papier d'aluminium froissé. Avec une spatule, regardez si le dessous est cuit avant de sortir la tarte du four.
7 Servez chaud mais non brûlant.

Salade campagnarde

Pour 4 personnes ~ Moins de 30 minutes

150 g de petites pommes de terre nouvelles grattées
350 g de légumes prélavés du commerce, par exemple, carottes, chou-fleur et brocolis
75 g de salade mélangée prête à l'emploi
quelques brins de persil commun ciselés
55 g de jambon de pays fumé émincé
85 g de comté coupé en dés ou en copeaux
6 petites ciboules parées

Sauce
3 cuill. à soupe de mayonnaise de bonne qualité
1 cuill. à soupe de fromage blanc
2 cuill. à café de moutarde de Dijon
1/2 cuill. à soupe d'huile
2 cuill. à café de vinaigre de vin
1 échalote hachée menu
sel et poivre du moulin

1 Faites cuire les pommes de terre à l'eau bouillante salée. Au bout de 8-10 min, ajoutez les autres légumes et laissez cuire jusqu'à ce qu'ils soient tendres.
2 Entre-temps, faites la sauce : mélangez tous les ingrédients dans un saladier et assaisonnez selon le goût.
3 Égouttez tous les légumes, passez-les sous l'eau froide et égouttez-les bien à nouveau. Épongez-les et mélangez-les à la sauce, en remuant bien.
4 Tapissez un plat creux de salade mélangée et de persil. Répartissez dessus la moitié du jambon et du fromage et assaisonnez légèrement.
5 Ajoutez le reste de jambon et de fromage aux légumes assaisonnés, que vous disposerez au centre du plat. Piquez de ciboules et parsemez de persil.

Ci-contre
Tarte à la tomate

Salade niçoise

Pour 4 personnes ~ Moins de 30 minutes

2 œufs
200 g de petites pommes de terre nouvelles grattées
200 g d'haricots verts extra-fins effilés
1 gousse d'ail coupée en deux
6 cuill. à soupe d'huile d'olive vierge extra
1 cuill. à soupe de vinaigre de vin fin
1 laitue feuille de chêne, grandes feuilles fragmentées
3 beaux oignons nouveaux émincés
3 tomates mûres émincées et, éventuellement, épépinées et pressées
225 g de thon à l'huile égoutté et émietté
12 olives noires env.
1/2 cuill. à soupe de jus de citron

1 Faites durcir les œufs 8-10 min à l'eau bouillante. Dans un autre récipient, faites cuire les pommes de terre à l'eau bouillante légèrement salée. Au bout de 12 min env., ajoutez les haricots et laissez-les cuire 4-8 min, selon leur grosseur. Égouttez. Écalez les œufs et coupez-les en quatre.
2 Frottez d'ail l'intérieur d'un joli saladier.
3 Dans un autre saladier, mélangez l'huile et le vinaigre. Salez et poivrez bien.
4 Mettez la laitue dans le saladier aillé. Arrosez-la de vinaigrette, tournez-la et disposez-la joliment. Répartissez dessus oignons et tomates émincés et arrosez de nouveau de vinaigrette.
5 Mettez pommes de terre et haricots dans le reste de sauce, mélangez délicatement et répartissez sur la salade. Parsemez le tout de thon, d'œuf dur et d'olives noires. Salez et poivrez légèrement.
6 Ajoutez le jus de citron à la vinaigrette qui reste et arrosez une dernière fois la salade niçoise.

Salade scandinave

Pour 4 personnes ~ Moins de 25 minutes

1/2 concombre détaillé en fines rondelles
85 g de salades mélangées prêtes à l'emploi
3 petites tomates mûres coupées en quartiers et, éventuellement, épépinées et pressées.
250 g d'un assortiment de poisson fumé et de fruits de mer en saumure (par exemple, maquereau, truite, saumon, hareng et moules), égoutté sur du papier absorbant et émincé ou effeuillé
sel et poivre du moulin

Sauce
10 cl de crème fraîche ou un mélange de yaourt velouté et de fromage blanc
1 cuill. à soupe de jus de citron (plus de quoi arroser la salade)
1 cuill. à soupe de moutarde douce
1 cuill. à soupe d'huile
1 cuill. à soupe de vinaigre de vin
raifort frais râpé ou pâte de raifort
1 petit bouquet de ciboulette

1 Mettez le concombre dans une passoire avec du sel. Couvrez-le avec une soucoupe, sur laquelle vous poserez quelque chose de lourd et laissez-le dégorger.
2 Faites la sauce : mélangez tous les ingrédients, sauf le raifort. Ajoutez celui-ci en dernier après l'avoir goûté, car il peut être plus ou moins fort. Relevez la sauce en conséquence. Salez légèrement et poivrez bien. Ciselez de la ciboulette.
3 Disposez la salade sur un plat de service, répartissez les tomates dessus et ciselez de la ciboulette sur le tout.
4 Assaisonnez poisson et fruits de mer avec la sauce au raifort et disposez-les sur la salade.
5 Rincez le concombre et égouttez-le. Épongez-le bien avec du papier absorbant et dressez-le joliment sur la salade. Relevez de poivre. Citronnez et ciselez de la ciboulette sur l'ensemble.

Salade tiède à la lotte

Cette salade peut aussi se faire avec de la raie (comptez 10 min pour que le poisson s'effeuille à la fourchette) ou des filets de saumon (comptez 6-8 min).

Pour 2 personnes ~ Moins de 30 minutes

1/2 cube de bouillon de poisson ou 1/2 sachet de court-bouillon (p. 13)
350 g env. de queue de lotte
6 cuill. à soupe d'huile de noisette, de pépins de raisin ou d'olive
1 cuill. à soupe de vinaigre de framboise ou de vinaigre balsamique
1 grosse cuill. à soupe de câpres égouttées
100 g env. de salades mélangées prêtes
quelques feuilles de coriandre fraîche
sel et poivre du moulin

1 Faites bouillir de l'eau dans une bouilloire.
2 Dans une casserole, versez-en une hauteur de 5 cm env. (suffisamment pour couvrir le poisson) et faites-y dissoudre le cube ou le court-bouillon, sur feu moyen.
3 Baissez la flamme et mettez le poisson à pocher 3-5 min dans l'eau frémissante, jusqu'à ce qu'il soit cuit, sans se détacher pour autant.
4 Entre-temps, mélangez huile, vinaigre et câpres dans un bol. Salez et poivrez.
5 Égouttez bien le poisson et coupez-le en petits morceaux.
6 Dans un saladier, assaisonnez la salade mélangée avec les deux tiers de la vinaigrette. Dressez-la sur un plat de service.
7 Assaisonnez le poisson avec le reste de vinaigrette, en remuant délicatement, et disposez-le sur la salade. Parsemez çà et là de feuilles de coriandre. Servez dès que possible.

Pages suivantes
À gauche Crevettes et champignons au beurre breton
À droite Salade tiède à la lotte

Crevettes et champignons au beurre breton

J'aime bien présenter cette entrée légère dans des coquilles Saint-Jacques. Pour vous avancer lors d'un dîner, préparez tout jusqu'à l'étape 5 et terminez la recette en 5 min au moment de servir.

Pour 2-3 personnes ~ Moins de 25 minutes

1 cuill. à soupe d'huile
250 g de champignons de Paris frais émincés
45 g de beurre demi-sel
1 petite échalote hachée menu
1 gousse d'ail pilée
poivre de Cayenne
1 pincée de noix de muscade râpée
1 cuill. de vin blanc sec
125 g de crevettes roses, cuites et décortiquées
quelques brins de persil commun
sel et poivre du moulin

1 Faites chauffer l'huile dans une poêle placée sur feu moyen. Mettez-y les champignons, assaisonnez-les légèrement et faites-les revenir 5 min env., en remuant de temps en temps, jusqu'à ce qu'ils soient juste cuits.
2 Avec une écumoire, transférez-les sur du papier absorbant.
3 Essuyez la poêle avec du papier absorbant.
4 Mettez-y le beurre à fondre sur feu moyen. Ajoutez l'échalote et l'ail, baissez le feu, laissez revenir 1-2 min.
5 Relevez d'une pointe de Cayenne et de muscade. Ajoutez le vin et remuez un bref instant.
6 Épongez les crevettes sur du papier absorbant. Mettez-les avec les champignons dans la poêle et laissez chauffer le tout.
7 Ciselez du persil sur la préparation, remuez et servez chaud.

droit
d'entrée
LE HANGAR
COUPON ORANGE
pas dans les
les autobus

MON
PARI
ANSON CRÉÉE
L'AUTEUR
PERCHOIR
CHANTÉE PAR
NE PIERLY
PALACE
LA REVUE
"VOYEUR"
LELIÈVRE
VARNA
ROUVRAY
DUFRENNE
VARNA
BOYER
BOYER
COTTO
SALABERT
NEW-YORK

Salade composée à l'andouille de Guémené

Cette salade est fort appétissante servie sur un plat rond.

Pour 4 personnes comme plat principal, 6 comme entrée ~ Moins de 40 minutes

500 g de salade chaude de pommes de terre (voir p. 106)
100 g de mâche, lavée et essorée
1 cuill. à soupe d'huile d'arachide
12-16 fines tranches d'andouille de Guémené
1 petit bouquet de ciboulette ou de persil plat
sel de mer et poivre noir fraîchement moulu

1 Préparez une salade de pommes de terre bien relevée (voir p. 106).
2 Pendant que les pommes de terre cuisent, arrosez d'huile la mâche. Salez et poivrez, puis laissez reposer au frais.
3 Retirez la peau de chaque tranche d'andouille (facultatif mais conseillé).
4 Disposez la salade de pommes de terre sur le pourtour d'un plat peu profond.
5 Répartissez la mâche au centre du plat. Garnissez avec les tranches d'andouille. Saupoudrez de ciboulette ou de persil ciselé. Servez si possible pendant que les pommes de terre sont encore tièdes et que la mâche est toujours fraîche.

Brochettes de foies de volaille au bacon

Pour une entrée tiède, servez, par exemple, avec du mesclun légèrement assaisonné.

Pour 4 personnes ~ Moins de 30 minutes

450 g de foies de volaille
12 tranches très fines de bacon découenné
45 g de beurre
quelques brins de thym frais
1/2 cuill. à soupe de sauge séchée
sel et poivre du moulin

1 Préchauffez le gril à chaleur vive.
2 Dans une poêle, faites fondre le beurre sur feu moyen. Ciselez le thym par-dessus et ajoutez la sauge. Faites revenir tout doucement quelques minutes, en remuant souvent.
3 Ajoutez les foies de volaille, salez et poivrez légèrement, et faites-les dorer rapidement.
4 Enveloppez les foies dans du bacon et enfilez-les sur des brochettes en bois humectées. Passez-les 4-5 min sous le gril, jusqu'à ce que le bacon soit doré, en tournant les brochettes une fois en cours de cuisson.

FRISÉE AUX LARDONS

Avec la salade niçoise (p. 56), la frisée aux lardons est un grand classique, la salade composée par excellence. Ici, on a choisi de la servir sans croûtons aillés, mais faites selon votre humeur.
Comme son nom l'indique, on utilise de la chicorée frisée, mais si, comme moi, vous la trouvez difficile à mâcher, remplacez-la par de la scarole ou de la mâche. L'essentiel est de manger la salade au moment où les lardons dorés quittent la poêle.
Autre version : avec des foies de volaille émincés et sautés à feu doux.

Pour 2 personnes ~ Moins de 15 minutes

115 g de chicorée frisée lavée
1 cuill. à soupe 1/2 d'huile de tournesol
100 g de lardons
1 cuill. à soupe de vinaigre de vin
sel et poivre du moulin

1 Mettez la salade dans un saladier. Arrosez-la avec 1/2 cuill. à soupe d'huile. Salez légèrement et poivrez plus généreusement.
2 Faites chauffer le reste d'huile dans une poêle. Mettez-y les lardons à revenir quelques minutes sur feu vif, jusqu'à ce qu'ils soient croustillants et dorés.
3 Ajoutez le vinaigre et remuez. Transférez le contenu de la poêle sur la salade, remuez délicatement et servez sans attendre.

SALADE AU ROQUEFORT

Cette salade reste la préférée de ma famille et de mes amis, quel que soit leur âge – même de ceux qui boudent la salade verte. À la demande générale, j'ajoute souvent un œuf poché (voir Baguette panachée, p. 62) à la sauce. De préférence, présentez-la dans un plat creux.

Pour 2 personnes ~ Moins de 15 minutes

45 g de fourme d'Ambert ou de roquefort émietté
1 cuill. à soupe de fromage blanc
1 cuill. à soupe de yaourt à la grecque ou de crème fraîche
2 cuill. à café d'huile d'arachide ou de tournesol
quelques gouttes de sauce Tabasco
2 cuill. à café de vinaigre balsamique ou de vin fin
1 cuill. à café de cognac (facultatif)
115 g de salade mélangée, dont beaucoup de feuille de chêne, lavée
sel et poivre du moulin

1 Écrasez le fromage à la fourchette. Mélangez-le au fromage blanc, au yaourt ou à la crème, à l'huile, à la sauce Tabasco, au vinaigre et, éventuellement, au cognac.
2 Goûtez, puis salez légèrement et poivrez plus copieusement.
3 Dans un plat creux, assaisonnez la salade avec cette sauce et tournez-la délicatement afin de bien en enrober les feuilles. Servez immédiatement.

Baguette panachée

Pour 2 personnes ~ Moins de 15 minutes

1 gros œuf
2 cuill. à soupe d'huile d'arachide ou d'olive (en prévoir un peu plus pour badigeonner le pain)
1 cuill. à soupe 1/2 de vinaigre de vin fin
1 cuill. à café rase de moutarde de Dijon
85 g de salades mélangées lavées
1 baguette coupée en deux ou 2 ficelles
quelques brins de ciboulette ou de persil commun
sel et poivre du moulin

1 Dans une petite casserole, mettez l'œuf et couvrez d'eau. Portez à ébullition et faites-le pocher 2 min seulement.
2 Dans un saladier, mélangez huile, vinaigre et moutarde. Avec une petite cuillère, prélevez l'œuf poché et mélangez-le à la vinaigrette. Assaisonnez selon le goût.
3 Mettez la salade dans la sauce et tournez bien.
4 Coupez le pain en deux dans la longueur et badigeonnez l'intérieur d'huile. Poivrez légèrement. Garnissez le pain de salade et ciselez des herbes dessus. Refermez le pain pour former un sandwich.

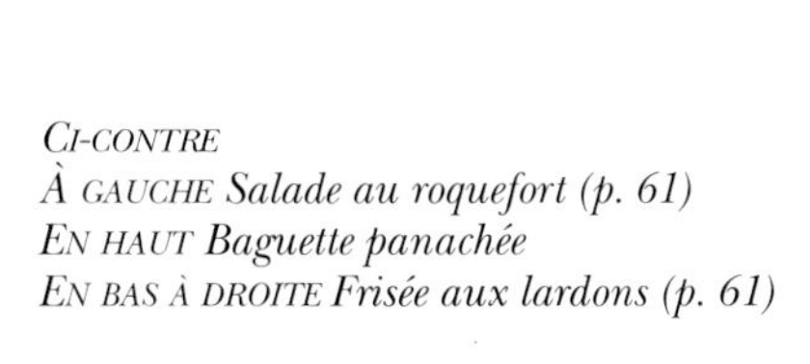

Ci-contre
À gauche Salade au roquefort (p. 61)
En haut Baguette panachée
En bas à droite Frisée aux lardons (p. 61)

Poissons et Fruits de mer

L'idée de manipuler un poisson froid et visqueux est parfois rebutante. Pourtant, lorsqu'il est beau et frais, le poisson a une saveur et une chair délicate incomparables.

Saint-Jacques au beurre blanc

Pour 2 personnes ~ Moins de 25 minutes

15 cl de vin blanc sec
2 belles échalotes
quelques grains de poivre noir
1 petit bouquet d'herbes fraîches, par exemple persil, cerfeuil, ciboulette et estragon
1 brin de citronnelle fraîche ciselée, ou 2 fines lamelles du zeste d'un citron non traité
2 cuill. à soupe de vinaigre de vin fin
75 g de beurre raffermi
4-6 Saint-Jacques nettoyées et retirées de leur coquille
sel et poivre du moulin

1 Faites bouillir un grand volume d'eau. Dans une casserole à fond épais, avec le vin, le poivre, une demi-échalote et les herbes (gardez-en pour garnir), versez 5 cm d'eau bouillante. Portez à ébullition. Assaisonnez, laissez frémir quelques minutes.
2 Commencez le beurre blanc : hachez menu le reste des échalotes. Mettez-les avec le vinaigre dans une petite casserole sur feu moyen ; réduire jusqu'à consistance sirupeuse. Coupez le beurre en dés.
3 Séparez le corail de la noix des Saint-Jacques et coupez celle-ci horizontalement en 2 médaillons si elle est trop grosse. Baissez la flamme sous le court-bouillon pour qu'il frémisse à peine.
4 Terminez le beurre blanc : incorporez le beurre, morceau par morceau ; retirez du feu plusieurs fois ; réservez 2 ou 3 dés de beurre. Ôtez du feu.
5 Mettez les noix dans le court-bouillon. Pochez 1-2 min. Ajoutez le corail et pochez 1 min encore.
6 Transférez noix et corail sur des assiettes chaudes. Épongez avec du papier absorbant.
7 Remettez le beurre blanc sur le feu, incorporez-y le reste de beurre, allongez avec 2 à 3 cuillerées à café de jus de cuisson. Rectifiez l'assaisonnement.
8 Nappez-en les Saint-Jacques. Décorez d'un brin d'herbe fraîche et servez aussitôt.

Saint-Jacques poêlées

Des coquilles Saint-Jacques, du beurre et une poêle... Regarder le grand Michel Lorain préparer la sublime version de ce mets dans sa cuisine de Joigny fut l'un des grands moments de mon apprentissage culinaire. « Ce n'est pas sorcier », me dit-il. Peut-être, mais assouplissez quand même votre poignet et ayez l'œil sur la flamme et sur la pendule : le beurre doit être couleur noisette, et non noirci, et, surtout, pas d'excès de cuisson, sinon les Saint-Jacques durciraient. Pour harmoniser les saveurs, servez avec des épinards en branches (diminuez la quantité de beurre de la recette p. 102).

Pour 2 personnes ~ Moins de 15 minutes

1 gousse d'ail coupée en deux
2 cuill. à café d'huile d'arachide
4-6 coquilles Saint-Jacques retirées de leur coquille
45 g de beurre raffermi
poivre de Cayenne
1 petit bouquet de ciboulette (facultatif)
sel et poivre du moulin

1 Frottez d'ail l'intérieur d'une poêle. Mettez-y l'huile à chauffer sur feu vif.
2 Séparez le corail de la noix des Saint-Jacques et, si celle-ci est trop grosse, coupez-la en 2 médaillons. Salez, poivrez et relevez de Cayenne.
3 Baissez la flamme, ajoutez 1/3 du beurre à l'huile chaude et laissez-le fondre. Avant qu'il prenne couleur, mettez-y les noix de Saint-Jacques à cuire 1 min, en remuant une fois ou deux.
4 Ajoutez le corail et réglez sur feu doux. Retournez les noix et laissez-les cuire 1 min encore. Retournez-les et continuez la cuisson moins de 1 min. Retirez le tout de la poêle. Réservez au chaud.
5 Ravivez le feu. Coupez le reste de beurre en morceaux et faites-le fondre dans la poêle, jusqu'à ce qu'il soit couleur noisette – ôtez vite du feu.
6 Arrosez les Saint-Jacques de beurre chaud. Rectifiez l'assaisonnement, ciselez de la ciboulette, et dégustez aussitôt.

Ci-contre Saint-Jacques poêlées

Soupe de la mer maison

Pour 4 en plat principal, ou 6 en entrée ~ Moins de 35 minutes

1 cuill. à soupe d'huile
1 gros oignon blanc émincé
1 gousse d'ail pilée
1 grosse pomme épluchée et coupée en dés
1 grosse carotte grattée et émincée
1 gousse d'ail pilée
1 grosse pomme de terre à chair ferme épluchée, en dés
1 bouquet garni (laurier, persil et thym)
30 cl de fumet de poisson (p. 13)
30 cl de lait
1/4 de cuill. à café de safran en poudre, harissa ou sauce Tabasco (facultatif)
450 g de filets de poisson dépouillés, par exemple cabillaud et haddock
100 g de petits pois surgelés et 100 g de fèves surgelées (facultatifs pour un plat principal)
100 g de crevettes cuites décortiquées
yaourt, crème ou rouille (p. 16) pour servir
sel et poivre du moulin

1 Dans une grande casserole, faites revenir dans l'huile oignon et ail sur feu moyen. Ajoutez la pomme de terre puis la carotte.
2 Ajoutez le bouquet garni, le fumet, le lait et le safran. Salez légèrement, poivrez généreusement. Dès que le liquide frémit, laissez cuire 5-7 min, en remuant de temps en temps. Rectifiez l'assaisonnement et épicez. Écumez.
3 Émincez grossièrement le poisson, ajoutez-le à la soupe, laissez pocher 3 min, en écumant si besoin.
4 Avec une louche, transférez la moitié des légumes et du poisson dans un robot ménager avec ce qu'il faut de liquide pour les couvrir. Mixez puis reversez dans la casserole. Mélangez sur feu moyen.
5 Ajoutez petits pois et fèves, puis les crevettes. Remuez pendant quelques instants.
6 Rectifiez l'assaisonnement. Servez dans des assiettes préchauffées avec un peu de yaourt, de crème ou de rouille, et un brin de persil.

Fricassée de fruits de mer

Pour 2 personnes ~ Moins de 25 minutes

2 bulbes de fenouil de moyenne grosseur, parés et quelques petites feuilles réservées
3-4 ciboules
2 gousses d'ail
2 cuill. à soupe d'huile d'olive vierge extra
1/4 de cuill. à café de graines de fenouil
1/2 cuill. à café de sarriette ou de thym séchés
225 g d'un assortiment de fruits de mer tout prêts, bien égouttés
2 cuill. à café de Pernod (facultatif)
2-3 cuill. à café de jus de citron
sel et poivre du moulin

1 Faites bouillir de l'eau salée dans une grande casserole. Coupez les bulbes en deux dans la hauteur, ôtez le cœur et émincez-les grossièrement.
2 Mettez le fenouil dans l'eau bouillante et laissez frémir 3 min. Égouttez bien.
3 Entre-temps, émincez les ciboules et pilez l'ail.
4 Dans une poêle avec la moitié de l'huile chaude, faites revenir 2 min ciboules, ail et graines de fenouil, sur feu moyen en remuant de temps en temps.
5 Ajoutez les bulbes blanchis et parsemez d'herbes. Assaisonnez légèrement et laissez cuire 3-5 min, en remuant de temps à autre.
6 Transférez dans un plat de service préchauffé et réservez au chaud.
7 Mettez le reste d'huile dans la poêle, ravivez le feu et ajoutez les fruits de mer. Arrosez éventuellement de Pernod, de jus de citron et remuez bien jusqu'à ce qu'ils soient chauds.
8 Poivrez et disposez sur le fenouil. Décorez de feuilles de fenouil et servez immédiatement.

Moules marinière

C'est la façon classique de préparer les moules. Maintenant qu'elles sont disponibles toutes grattées, à un prix élevé, certes, c'est un plat facile à réaliser chez soi.

Pour 2 personnes ~ Moins de 20 minutes

1 cuill. à soupe d'huile
2 échalotes hachées menu
25 cl de vin blanc sec
1/2 cuill. à café de thym séché
quelques brins de persil commun et de ciboulette
quelques grains de poivre noir ou vert
1 brin de citronnelle ou quelques fines lanières du zeste d'un citron non traité
1 litre de moules grattées (jetez celles qui sont ouvertes)
1 grosse cuill. à soupe de crème fraîche ou de crème fleurette
sel et poivre du moulin
pain et beurre pour servir

1 Nappez d'huile une grande casserole. Mettez sur feu moyen et faites revenir les échalotes 1-2 min.
2 Versez le vin, ajoutez les herbes, en en réservant un peu, puis le poivre, la citronnelle ou le zeste. Augmentez la flamme, couvrez et portez à ébullition. Mettez les moules et couvrez à nouveau.
3 Faites-les cuire 4-7 min, en secouant le récipient plusieurs fois, jusqu'à ce que les coquilles s'ouvrent.
4 Retirez-les avec une écumoire, en jetant celles qui ne se sont pas ouvertes. Répartissez-les dans deux bols, ou deux assiettes creuses, préchauffés.
5 Ajoutez la crème au jus de cuisson, laissez-la chauffer et rectifiez l'assaisonnement.
6 Avec une passoire, versez le jus de cuisson sur les moules. Ciselez dessus les herbes qui restent. Servez immédiatement avec du pain et du beurre.

Page suivante
À gauche Moules farcies
À droite Mouclade (p. 71)

Moules farcies

Pour 2 personnes en plat principal ou 4-6 en entrée ~ Moins de 30 minutes

1 cuill. à soupe d'huile
1 échalote hachée menu
20 cl de vin blanc sec
quelques brins de persil commun et de thym
quelques grains de poivre noir ou vert
1 litre de grosses moules grattées (jetez celles qui sont ouvertes)

Farce
1-3 gousses d'ail coupées en deux
quelques brins de persil commun
1 tranche fine de pain, sans la croûte
1 cuill. à café de zeste râpé d'un citron non traité
1 cuill. à café de moutarde de Dijon
85 g de beurre ramolli coupé en morceaux
1-2 cuill. à café de cognac
sauce Worcestershire (facultatif)
sel et poivre du moulin

1 Faites cuire les moules comme des moules marinière.
2 Pendant qu'elles cuisent, faites la farce : travaillez 2-3 secondes ail, persil et thym dans le robot ménager. Ajoutez le pain et le zeste. Mixez à nouveau. Ajoutez la moutarde, le beurre et le cognac. Mixez afin d'obtenir une pommade. Salez, poivrez et relevez de Worcestershire selon le goût.
3 Avec une écumoire, retirez les moules, en jetant celles qui ne se sont pas ouvertes. Laissez-les refroidir et réservez le jus de cuisson. Passez-le et ajoutez-en 2-3 cuill. à café à la farce.
4 Dès que les moules ont tiédi, débarrassez-les des coquilles vides. Préchauffez le gril à chaleur vive.
5 Farcissez généreusement les moules dans leur demi-coquille. Mettez-les dans un plat allant au four et passez-les quelques minutes sous le gril à chaleur moyenne, jusqu'à ce qu'elles soient dorées.
6 Servez chaud, en arrosant de jus de cuisson.

Mouclade

Pour 2 personnes ~ Moins de 25 minutes

2 cuill. à café d'huile
2 échalotes émincées
15 cl de vin blanc sec
quelques brins de persil commun
1 pincée de coriandre, de cumin, de paprika en poudre
1 litre de petites moules grattées
1 gousse d'ail pilée
1/4 de cuill. à café de safran en poudre
30 g de beurre
2 cuill. à café rases de fécule
3-4 cuill. à soupe de crème fleurette
sel et poivre du moulin

1 Dans une grande casserole avec l'huile chaude, faites revenir la moitié des échalotes 1-2 min.
2 Versez le vin et 10 cl d'eau. Ajoutez un peu de persil et les épices. Assaisonnez légèrement, couvrez et, à feu plus vif, portez à ébullition. Mettez les moules, couvrez à nouveau, laissez-les s'ouvrir de 3 à 6 min ; secouez la casserole de temps en temps.
3 Pendant qu'elles cuisent, travaillez l'ail, les échalotes qui restent et le safran avec le beurre. Assaisonnez légèrement.
4 Retirez les moules avec une écumoire. Jetez celles qui ne se sont pas ouvertes. Laissez tiédir. Réservez-en de 6 à 9, décortiquez le reste. Tenez au chaud.
5 Avec une passoire fine, passez le jus de cuisson. Rincez la casserole ; à feu doux, faites-y fondre le beurre aromatisé, ajoutez la fécule, remuez 1 min.
6 Versez le jus de cuisson, remuez jusqu'aux premiers bouillons. Baissez le feu, laissez frémir 1 min avant d'enrichir de crème. Laissez cuire 2-3 min à tout petit feu, en remuant souvent. Rectifiez l'assaisonnement, ajoutez les moules.
7 Laissez chauffer, ciselez un peu de persil, servez aussitôt dans des assiettes creuses préchauffées, en décorant avec les moules réservées.

Filets de sole normande

Réalisée avec un seul récipient, ma version rapide du grand mets dieppois est moins élaborée et moins aromatique que la recette originale, mais aussi moins calorique tout étant pleine de saveur.

Pour 2 personnes ~ Moins de 30 minutes

30-45 g de beurre
140 g de petits champignons de Paris émincés
quelques brins de persil commun ciselés
le jus et le zeste râpé de 1/4 de citron non traité
10 cl de cidre sec ou de vin blanc sec
10 cl de fumet de poisson (p. 13)
2 beaux filets de sole dépouillés
2 grosses cuill. à soupe de crème fraîche
55 g de crevettes roses cuites, décortiquées, égouttées
sel et poivre du moulin

1 Dans une poêle avec la moitié du beurre fondu, mettez les champignons avec un peu de persil, en en réservant pour la garniture, et le zeste. Assaisonnez légèrement et faites revenir 1-2 min sur feu moyen, en remuant de temps en temps.
2 Étalez-les en couche uniforme, mouillez avec le cidre, ou le vin, et le fumet et chauffez jusqu'aux premiers frémissements. Baissez un peu la flamme.
3 Salez et poivrez légèrement les filets et placez-les dans le récipient. Couvrez et laissez 3-6 min, selon la grosseur. Ils ne doivent pas se détacher.
4 Retirez-les et dressez-les sur un plat de service préchauffé. Réglez sur feu vif, puis transférez les champignons sur les filets de sole.
5 Laissez la sauce réduire de moitié. Sur feu doux, incorporez la crème, puis la moitié du beurre qui reste. Versez sur les filets de sole et les champignons.
6 Essuyez la poêle avec du papier absorbant et faites-y fondre le beurre qui reste. Saisissez les crevettes 1 min sur feu vif. Assaisonnez légèrement et arrosez de citron.
7 Répartissez les crevettes sur les filets de sole. Selon le goût, parsemez de persil avant de servir.

Colin poêlé aux câpres

Nappé d'une petite sauce faite à partir des sucs de cuisson déglacés avec du vin ou de la crème, c'est une valeur sûre de la cuisine familiale. Je l'aime avec une sauce relevée d'anchois, de câpres et de moutarde. Diminuez les quantités à votre gré.

Pour 2 personnes ~ Moins de 20 minutes

2 darnes de colin de 170 g env. et de 2,5 cm d'épaisseur
1 cuill. à soupe de farine
2 cuill. à soupe d'huile (en prévoir un peu plus)
2-3 filets d'anchois égouttés et écrasés
1-2 cuill. à café de câpres égouttées
15 g env. de beurre (en prévoir un peu plus)
4 cuill. à soupe de vin blanc sec
1-2 cuill. à café de moutarde de Dijon
2 cuill. à soupe de crème fraîche, de crème fleurette ou de fromage blanc
quelques brins d'herbes fraîches ciselées (facultatif)

1 Épongez le colin avec du papier absorbant. Salez et poivrez la farine ; tamisez-la sur le poisson.
2 Faites chauffer la moitié de l'huile dans une poêle placée sur feu moyen. Mélangez le reste d'huile aux anchois et aux câpres. Réservez.
3 Faites fondre la moitié du beurre dans l'huile chaude. Mettez-y le colin à cuire 3-4 min. Pour qu'il n'attache pas, glissez un peu de beurre dessous, en le soulevant avec une spatule.
4 Retournez les darnes avec la spatule et poursuivez la cuisson de la même façon. Retirez-les et réservez-les sur des assiettes préchauffées.
5 Augmentez légèrement la flamme. Mettez les anchois et les câpres dans la poêle, remuez, puis mouillez avec le vin. En remuant de temps en temps, attendez que celui-ci frémisse avant d'ajouter moutarde et crème, ou fromage blanc. Rectifiez l'assaisonnement.
6 Incorporez le reste de beurre à cette sauce et nappez-en le colin. Ajoutez éventuellement des herbes ciselées, et servez.

Sardines grillées au basilic

Si vos sardines sont petites, commencez la sauce avant de les mettre à griller. On peut remplacer le citron et le basilic par du citron vert et de la coriandre fraîche.

Pour 2 personnes ~ Moins de 25 minutes

2-4 sardines fraîches (selon grosseur), vidées et rincées
2 cuill. à soupe d'huile d'olive vierge extra
1 échalote hachée menu
1 ou 2 gousses d'ail pilées
2 tomates mûres pelées, épépinées et concassées
5 cuill. à soupe de vin blanc sec
5 cuill. à soupe de fumet de poisson (p. 13) ou d'eau
3-4 olives noires dénoyautées et hachées
15 g de beurre raffermi
quelques feuilles de basilic frais
sel et poivre du moulin
1/2 citron jaune ou vert coupé en quartiers pour servir

1 Préchauffez le gril à chaleur vive. Badigeonnez les sardines d'huile et assaisonnez-les légèrement.
2 Faites-les griller 5-10 min selon la grosseur, en les retournant une fois ou deux. La peau doit être noircie par endroits et la chair se détacher à peine.
3 Entre-temps, faites chauffer 1 cuill. à soupe d'huile dans une petite casserole et mettez-y à revenir 1 min échalote et ail sur feu moyen. Ajoutez un peu d'huile et les tomates. Laissez revenir 1 min, puis mouillez avec le vin, le fumet ou l'eau. Portez à ébullition.
4 Laissez frémir quelques instants, le temps que la sauce réduise et épaississe. Ajoutez les olives et laissez-les chauffer. Rectifiez l'assaisonnement.
5 Au moment de servir, incorporez le beurre et ciselez le basilic. Versez sur les sardines et présentez avec un quartier de citron.

Pages suivantes
À gauche Sardines grillées au basilic
À droite Sole meunière

Sole meunière

J'ai appris à bien cuire le poisson il n'y a pas si longtemps un été à Saint-Malo, où nous séjournions dans une charmante maison donnant sur la grande plage devant les remparts. La cuisine de l'ami qui nous l'avait prêtée était celle du bon cuisinier formé à l'ancienne école – rustique et dépourvue de gadgets – mais tout le nécessaire y était. J'avisai bientôt trois poissonnières, pas moins. Je fis du poisson presque tous les soirs. Très instructif, mais je déconseille aux novices sans sous-chefs de frire, griller ou pocher du poisson pour sept personnes, surtout s'ils veulent dîner avec les invités.

Pour 2 personnes ~ Moins de 25 minutes

2 petites soles ou limandes-soles vidées et dépouillées
1 cuill. à soupe env. de farine
1 cuill. à soupe d'huile
5 g de beurre ramolli
quelques brins de persil commun ciselés
1 citron non traité coupé en deux
sel et poivre du moulin

1 Salez légèrement la farine et poivrez-la bien. Avec une passoire fine, tamisez-la sur les soles.
2 Dans une grande poêle avec l'huile chaude, sur feu moyen, faites fondre le tiers du beurre. Dès qu'il grésille, mettez-y le poisson et laissez-le cuire 4-5 min.
3 Retournez-le avec une spatule et laissez-le frire 4-5 min encore, en ajoutant un peu de beurre. Réglez sur feu vif pour la dernière minute de cuisson. Transférez sur des assiettes préchauffées. Essuyez la poêle avec du papier absorbant.
4 Baissez le feu et faites fondre le reste de beurre dans la poêle. Ajoutez du persil. Râpez 1 cuill. à café de zeste d'un demi-citron et pressez 1 cuill. à café de jus ; émincez finement l'autre moitié. Mettez zeste et jus dans la poêle et remuez un bref instant.
5 Versez sur les soles. Parsemez de persil et assaisonnez légèrement. Présentez avec des rondelles de citron.

Saumon poêlé au poivre vert

Cette sauce au poivre vert très minimaliste apprête merveilleusement, sans trop d'effort, des filets de saumon premier choix. Servez-les avec une salade chaude de pommes de terre (p. 106), ou des pâtes au beurre accompagnées de laitue et trévise au jus (p. 107).

Pour 4 personnes ~ Moins de 25 minutes

4 filets de saumon frais avec la peau (de 170 g env. chacun)
3 cuill. à soupe d'huile d'olive vierge extra
85 g de beurre
1 cuill. à soupe rase de poivre vert égoutté
1 cuill. à soupe de jus de citron
sel et poivre du moulin

1 Badigeonnez la peau des filets avec 1 cuill. à café d'huile, salez et poivrez.
2 Sur feu vif, mettez dans une poêle la moitié de l'huile qui reste avec la moitié du beurre. Veillez à bien répartir le beurre fondu et placez les filets dans la poêle, côté peau.
3 Laissez-les cuire 5-7 min, sans les retourner, en dosant la flamme : la peau noircira et la chair commencera à changer de couleur.
4 Badigeonnez la chair du poisson avec le reste d'huile et assaisonnez légèrement. Couvrez, baissez un peu la flamme et laissez cuire 3-5 min encore, jusqu'à ce que le saumon ait le degré de cuisson souhaité. Il doit rester moelleux.
5 Retirez-le et dressez-le sur des assiettes préchauffées.
6 Mettez le poivre vert dans la poêle avec le reste de beurre. Arrosez de citron.
7 Arrosez le saumon avec cette sauce, en râclant bien la poêle pour ne rien perdre.

Ci-contre
Filet de saumon poché avec sauce citronnée

Filet de saumon poché avec sauce citronnée

Un court-bouillon à base d'eau, de vinaigre de vin et de miel parfumé avec des herbes fortement aromatiques comme l'aneth ou l'estragon est idéal pour y pocher du saumon. Dans le cas de poissons moins gras, parfumez l'eau avec des lanières de zeste de citron, une feuille de laurier et des herbes plus douces, persil ou cerfeuil. Il faut que le liquide frémisse à peine. Sortez le poisson dès qu'il est sur le point de s'effeuiller. Sa cuisson se poursuivra un instant hors du feu.

Pour 3 personnes ~ Moins de 25 minutes

450 g env. de filets de saumon avec la peau
quelques brins d'herbes fraîches (voir ci-dessus)
1 cuill. à soupe de vinaigre de vin rouge ou de vin fin
1 cuill. à café de miel ou de sucre
sel et poivre du moulin
petite sauce citronnée (p. 14) pour servir

1 Dans une casserole, mettez assez d'eau pour juste couvrir le poisson ; ajoutez-y herbes, vinaigre, miel ou sucre. Salez, poivrez, portez à ébullition.
2 Plongez le poisson et baissez le feu. Dès que le liquide frémit, couvrez, laissez pocher 8-10 min, jusqu'à ce que la chair commence à se détacher lorsque vous la piquez avec une fourchette.
3 Entre-temps, commencez la sauce avec 10 cl de jus de cuisson, en réservant le tiers du beurre, le jus de citron et le jaune d'œuf.
4 Sortez délicatement le saumon avec une écumoire. Égouttez-le, posez-le sur plusieurs épaisseurs de papier absorbant. Laissez-le tiédir avant de retirer la peau.
5 Terminez la sauce : dans un bol, délayez le jaune d'œuf et le jus de citron avec 1 ou 2 cuill. à soupe de sauce chaude. Incorporez au fouet cette liaison à la sauce et fouettez quelques instants encore.
6 Au moment de servir, incorporez le reste de beurre à la sauce. Ajoutez du citron, si besoin est. Ajoutez du persil ciselé et du zeste ; servez bien chaud dans une saucière.

Viandes et Volailles

Le plat de viande demeure souvent
le pilier de tout repas.
C'est le traditionnel et incontesté
plat principal.

STEAK HACHÉ AUX ANCHOIS

Pour 2 personnes ~ Moins de 25 minutes

2 cuill. à café de poivre noir en grains
2 steaks hachés reconstitués
1/2 gousse d'ail
huile, sel et poivre du moulin

SAUCE
25 g de beurre
4 filets d'anchois en conserve, égouttés et émincés, ou 1 cuill. à soupe de bonne crème d'anchois
1 gros oignon nouveau finement émincé
10 cl de vin rouge
2 cuill. à café de cognac
1 cuill. à soupe de crème fraîche ou de fromage blanc
sel et poivre du moulin

1 Dans un mortier, pilez le poivre. Parsemez-en les steaks et appuyez doucement dessus pour en incruster la viande. Laissez ainsi quelques minutes.
2 Frottez d'ail un gril ou l'intérieur d'une poêle qui n'attache pas. Badigeonnez d'huile et faites chauffer jusqu'à ce que le métal soit bien chaud.
3 La sauce : faites fondre la moitié du beurre dans une petite casserole. Mettez-y l'oignon et les anchois à revenir 1 min sur feu moyen, en remuant.
4 Versez le vin rouge et laissez-le réduire 2-3 min, en remuant de temps à autre. Ajoutez le cognac et 3 cuill. à soupe d'eau. Laissez frémir 1 min, ou laissez mijoter à feu très doux jusqu'au moment de servir.
5 Pendant ce temps, salez et poivrez les steaks. Faites-les griller 5-7 min de chaque côté selon la cuisson souhaitée.
6 Au moment de servir, incorporez à la sauce la crème ou le fromage blanc, puis le reste de beurre. Poivrez. Nappez chaque steak de sauce.

CI-CONTRE *Brochettes de bœuf aux épices*

BROCHETTES DE BŒUF AUX ÉPICES

Ces brochettes parfumées à la citronnelle peuvent se faire aussi avec du poulet ou du porc. Servez-les avec du riz, du bulgur ou du couscous (p. 13).

Pour 2 personnes ~ Moins de 30 minutes

115 g de rumsteck ou de faux-filet
1 petit poivron jaune
1 petit poivron rouge
4 oignons nouveaux

MARINADE
1 cuill. à soupe d'huile de sésame
2 cuill. à soupe d'huile d'arachide (plus de quoi badigeonner)
1 cuill. à soupe de sauce soja
2 brins de citronnelle fraîche
harissa ou sauce pimento
sel et poivre du moulin

1 Coupez le bœuf en gros cubes de ± 4 cm de côté.
2 La marinade : mélangez les huiles et la sauce soja. Ciselez la citronnelle et ajoutez-la au mélange avec une pointe de harissa ou de sauce pimento. Si besoin est, salez et poivrez légèrement. Badigeonnez le bœuf avec cette marinade et laissez macérer le temps de préparer le reste.
3 Si vous préférez les poivrons pelés, faites-les blanchir 2-3 min à l'eau bouillante. Égouttez-les et pelez-les dès qu'ils sont tièdes.
4 Préchauffez le gril au maximum.
5 Retirez le pédoncule et les graines des poivrons et taillez-les en carrés sensiblement de la même taille que les cubes de viande. Parez les oignons.
6 Enfilez viande, poivrons et oignons sur 4 brochettes en bois humectées. Badigeonnez poivrons et oignons d'huile d'arachide.
7 Assaisonnez et placez 4-5 min sous le gril, en tournant les brochettes une fois, jusqu'à ce que les ingrédients aient le degré de cuisson désiré.

FENELON
L'éducation des filles
L'ÉDUCATION DES FILLES

Sauté de bœuf à la tomate

La fraîcheur piquante du poivre vert parvient toujours à mettre en valeur même les ingrédients les plus fades. Un petit bocal de poivre vert au vinaigre n'est donc jamais de trop au réfrigérateur. Il s'accorde superbement bien avec le madère, autre produit dont on ne vantera jamais assez les mérites en cuisine. Dégustez avec un côtes du Rhône ou un beaujolais.

Pour 4 personnes ~ Moins de 25 minutes

3 cuill. à café de poivre vert égoutté
450 g de filet de bœuf maigre taillé en lanières de 7,5 cm de long sur 2,5 cm de large
1 cuill. à soupe d'huile
4 cuill. à soupe de madère ou autre vin cuit mi-doux
1 cuill. à soupe de concentré de tomate
4 cuill. à soupe de bouillon de bœuf, ou 4 cuill. à soupe d'eau additionnée de 2 cuill. à café de sauce soja et d'un trait de sauce Worcestershire
15 g de beurre raffermi coupé en dés
quelques feuilles de basilic (facultatif)
sel

1 Concassez deux tiers du poivre. Répartissez-le sur la viande, en appuyant pour qu'il y adhère. Salez.
2 Dans un wok ou une sauteuse, saisissez la viande 2-3 min à l'huile très chaude, à feu vif ; remuez presque constamment, jusqu'à ce qu'elle dore.
3 Retirez-la et réservez-la sur une assiette préchauffée. Jetez la graisse du récipient de cuisson.
4 Baissez un peu le feu et versez le madère ou le vin cuit. Ajoutez le reste de poivre vert, remuez un instant, mettez le concentré et mélangez bien. Mouillez avec le bouillon, ravivez la flamme et portez à ébullition. Laissez cuire 2-3 min, en remuant souvent.
5 Ajoutez la viande et son jus. Sur feu moins vif, laissez cuire 2-3 min. Rectifiez l'assaisonnement.
6 Au moment de servir, incorporez le beurre. Ciselez éventuellement du basilic.

Bœuf ficelle

Pour 4 personnes ~ Moins de 40 minutes

1 litre de bouillon de bœuf (ou 50 cl de bouillon de bœuf et 50 cl d'eau additionnée de 1 cuill. à soupe de sauce soja et d'un trait de sauce Worcestershire)
200 g de petites pommes de terre nouvelles grattées
200 g de petits navets épluchés
200 g de petites carottes grattées
2 petits choux coupés en quatre
125 g de champignons de Paris nettoyés et émincés
125 g de pois gourmands effilés
450 g de filet de bœuf escalopé en grosses lanières
sel et poivre du moulin

Pour servir
1 bol de mayonnaise (p. 16) fortement moutardée et additionnée d'herbes ciselées et de cornichons hachés
1 petit bol de gros sel mélangé à du persil ciselé

1 Dans une grande casserole, portez le bouillon à ébullition sur feu vif. Ajoutez pommes de terre et navets, attendez que le liquide frémisse et baissez la flamme. Laissez cuire 5 min. Mettez les carottes et faites cuire 5 min encore à petits frémissements.
2 Ajoutez le chou et les champignons. Poursuivez la cuisson 5 min encore.
3 Goûtez le bouillon et, si besoin est, salez et poivrez. Ajoutez les pois gourmands et attendez que le liquide frémisse à nouveau.
4 Glissez les morceaux de viande entre les légumes. Baissez encore un peu la flamme et laissez frémir 5-7 min jusqu'à cuisson complète, à petit feu.
5 Dressez sur un plat préchauffé, en arrosant avec un soupçon de bouillon ; présentez le reste dans un pichet. Servez avec une mayonnaise et du gros sel aromatisé. Réservez le reste de bouillon pour un autre usage.

Cassoulet express

Ce cassoulet n'est pas une merveille, mais il est tout à fait acceptable pour un dîner d'hiver en semaine.

Pour 6 personnes ~ Moins de 35 minutes

6 saucisses de Toulouse ou de Montbéliard
250 g de confit d'oie ou de canard
200 g de lard fumé taillé en lardons
1 oignon finement émincé
2 belles gousses d'ail pilées
450 g de tomates au naturel concassées
2 bouquets garnis
1 grosse cuill. à soupe de moutarde de Dijon
un trait de sauce Worcestershire
3 cuill. à soupe de cognac
15 cl de bouillon corsé ou de consommé de bœuf en conserve
600 g de haricots blancs au naturel, égouttés, rincés
55 g de mie de pain pas trop fraîche
quelques brins de persil (facultatif)
poivre du moulin

1 Préchauffez le gril au maximum. Dès qu'il est bien chaud, mettez-y les saucisses, en baissant la température pour qu'elles cuisent lentement. Retournez-les de temps à autre pendant que vous préparez le reste. Réservez-les ensuite au chaud.
2 Faites chauffer une cocotte. Mettez-y un peu de graisse du confit de sorte à napper le fond et faites-y revenir les les lardons 1 min. Ajoutez oignon et ail, et faites-les revenir 3-4 min sur feu moyen.
3 Fragmentez le confit et ajoutez-le au contenu de la cocotte, avec un peu de sa graisse. Réservez le reste pour servir (s'il vous en reste trop, mettez-la au frais). Ajoutez les tomates et leur jus, les bouquets garnis, la moutarde, la Worcestershire, le cognac et le bouillon. Remuez et laissez mijoter 15 bonnes min à petit feu.
4 Ajoutez les haricots, poivrez, laissez-les chauffer. Disposez les saucisses dessus, parsemez de mie de pain, de persil ciselé, éventuellement, et de graisse de confit. Passez 2-3 min sous le gril et servez.

Côtes d'agneau au romarin

Pour 2 personnes ~ Moins de 30 minutes

4 côtes premières d'agneau parées
1/2 gousse d'ail
poivre gris avec une pincée de zeste de citron râpé
quelques brins de romarin frais ou séché
sel et poivre du moulin
huile d'olive pour badigeonner

Sauce
1 échalote hachée menu
1 cuill. à café de romarin moulu
10 cl de vin blanc sec
1 cuill. à soupe de vinaigre de vin fin
45 g de beurre
1 cuill. à café rase de fécule
10 cl de bouillon de volaille (p. 13)

1 Badigeonnez un gril en fonte, ou la grille du gril, avec de l'huile d'olive. Préchauffez à chaleur vive. Préparez les côtes : frottez-les d'ail et assaisonnez-les avec le poivre aromatisé. Appliquez du romarin dessus et laissez reposer.
2 La sauce : dans une petite casserole, mélangez échalote, romarin, vin et vinaigre. Faites réduire des deux tiers et versez dans une tasse.
3 Baissez la flamme. Faites fondre le tiers du beurre, incorporez la fécule et continuez à remuer pendant 1 min pour obtenir un roux. Mouillez peu à peu avec le bouillon et la réduction, tout en remuant énergiquement. Assaisonnez.
4 Chauffez jusqu'aux premiers frémissements, en remuant souvent, puis, sur feu doux, laissez cuire 2-3 min, en remuant toujours. Laissez sur tout petit feu le temps de cuire la viande.
5 Assaisonnez les côtes et faites-les griller quelques minutes de chaque côté, selon la cuisson souhaitée.
6 Incorporez le reste de beurre à la sauce. Rectifiez l'assaisonnement et arrosez les côtes avec cette sauce.

Côtes de porc au cidre

Ce mets constitue un honorable dîner, accompagné d'un gratin de pommes de terre express (p. 104), d'un émincé de chou (p. 98) et d'un verre de cidre bouché.

Pour 2 personnes ~ Moins de 30 minutes

2 côtes de porc moyennes, parées
1/2 cuill. à soupe de moutarde de Dijon
thym et sarriette séchés : 1 pincée de chaque
2 cuill. à café de gelée de groseille ou de pomme
1 cuill. à soupe d'huile
15 cl de cidre brut
1 cuill. à soupe de fromage blanc
15 g de beurre raffermi
sel et poivre du moulin

1 Incisez la graisse des côtes à intervalles réguliers. Mélangez la moutarde, salée et poivrée, aux herbes et à la gelée. Enrobez la viande avec cette préparation.
2 Dans une sauteuse, sur feu vif, saisissez les côtes de porc à l'huile chaude jusqu'à ce qu'elles soient dorées ; posez-les d'abord verticalement sur leur bordure graisseuse, en les tenant avec deux fourchettes.
3 Versez le cidre et baissez la flamme. Laissez mijoter à couvert 15-18 min, selon l'épaisseur de la viande, en la tournant à mi-cuisson. Laissez reposer 2 min.
4 Transférez les côtes sur des assiettes préchauffées et réservez-les.
5 Sur feu vif, portez la sauce à ébullition, en remuant souvent, et faites-la réduire de moitié.
6 Incorporez le fromage blanc.
7 Au moment de servir, fractionnez le beurre et incorporez-le à la sauce. Versez sur les côtes de porc pour servir.

Pages précédentes
À gauche Cassoulet express
À droite Bœuf ficelle (p. 82)

Émincé de porc aux pruneaux et à l'orange

Pour 4 personnes ~ Moins de 25 minutes

Bière, pruneaux et moutarde sont les ingrédients classiques utilisés pour une cuisson à l'étouffée en cocotte. Ici, ils libèrent vite leur saveur sur feu vif et la transmettent à l'émincé de porc. Pour obtenir cet effet « façon cocotte », en une demi-heure, voici la marche à suivre. Taillez de la viande de porc maigre et tendre en petits morceaux, enrobez-les d'aromates, saisissez-les à feu vif. Réservez-les. Réduisez le jus de cuisson ; diluez-le avec un peu de jus de fruit ou d'eau pour l'adoucir, remettez la viande et son jus dans le récipient et laissez frémir quelques minutes. Servez sur un lit de macaronis ou de coquillettes au beurre agrémentés de persil ciselé. Essayez aussi les choux de Bruxelles au carvi (p. 100).

450 g de filet de porc maigre taillé en lanières de 2,5 cm de large et 7 cm de long
le zeste râpé et le jus d'une orange non traitée
1 cuill. à soupe d'huile
15 cl de bière brune
2 cuill. à café de sauce soja
1 cuill. à soupe de moutarde à l'ancienne
4 pruneaux dénoyautés, préalablement trempés et émincés
30 g de beurre raffermi fractionné
sel et poivre du moulin

1 Salez et poivrez le porc ; appliquez dessus le zeste d'orange. Chauffez l'huile dans un wok ou une poêle.
2 Saisissez la viande sur feu vif pendant 2-3 min, jusqu'à ce qu'elle soit dorée. Retirez-la et réservez-la au chaud. Jetez la graisse du récipient ou essuyez-le avec du papier absorbant.
3 Versez la bière et, sur feu vif, laissez réduire 2-3 min, en remuant souvent. Ajoutez la sauce soja, la moutarde, le jus d'orange, les pruneaux et 5 cuill. à soupe d'eau. Baissez la flamme et laissez cuire 8 min env. en remuant souvent.
4 Rectifiez l'assaisonnement. Mettez le porc, laissez frémir 3-4 min encore. Incorporez le beurre, servez.

Petite fricassée de poulet au vinaigre et à l'estragon

Pour 2 personnes ~ Moins de 35 minutes

4 cuisses de poulet désossées, sans la peau
1 cuill. à soupe de farine
1 cuill. à soupe d'huile
quelques brins d'estragon frais
1 cuill. à soupe 1/2 de vinaigre de cidre
12,5 cl de bouillon de volaille (p. 13) ou d'eau additionnée de 1 cuill. à soupe de sauce soja
1 orange non traitée : 3 cuill. à soupe de son jus et 2 cuill. à café du zeste finement râpé
25 g de beurre raffermi fractionné
sel et poivre du moulin

1 Coupez les pilons en deux dans la longueur. Salez et poivrez la farine. Avec une passoire, tamisez-la sur le poulet.
2 Dans une sauteuse, sur feu moyen, faites dorer uniformément le poulet à l'huile chaude.
3 Ajoutez les feuilles de 4 ou 5 brins d'estragon, arrosez avec 1 cuill. à soupe de vinaigre et remuez bien.
4 Mettez le bouillon et le zeste. Portez le liquide au seuil de l'ébullition, couvrez et laissez frémir 15-20 min à feu doux, en remuant de temps en temps.
5 Retirez le poulet et réservez-le au chaud.
6 Ravivez le feu, faites bouillir le liquide et laissez-le réduire légèrement 2-3 min, en remuant de temps en temps.
7 Réglez sur feu moyen et ajoutez le reste de vinaigre et le jus d'orange.
8 Incorporez le beurre et rectifiez l'assaisonnement. Remettez le poulet dans la sauteuse et remuez pour l'enrober de sauce. Ciselez un peu d'estragon au moment de servir.

Émincé de poulet au vouvray

À servir avec des champignons sautés ou du riz.

Pour 4 personnes ~ Moins de 30 minutes

4 blancs de poulet désossés
1 cuill. à café de petites feuilles de thym frais ou de thym séché et moulu
1 cuill. à soupe d'huile d'arachide
25 g de beurre
partie blanche de 2 oignons grelots de printemps, hachée grossièrement
1 gousse d'ail écrasée
20 cl de vouvray ou autre vin blanc pas trop sec
4 cuill. à soupe de crème fraîche
1-2 cuill. à café de moutarde à l'ancienne
sel de mer et poivre noir fraîchement moulu

1 Retirez la peau des blancs de poulet et émincez-les en 6 ou 8 lamelles dans le sens de la longueur. Saupoudrez de sel, de poivre et de thym.
2 Dans une sauteuse, faites chauffer l'huile avec la moitié du beurre. Ajoutez l'oignon, l'ail et les blancs de poulet. Faites sauter à feu modéré pendant 2-3 min de chaque côté.
3 Retirez les blancs de la sauteuse. Tenez au chaud. Ajoutez le vouvray, portez à ébullition, laissez frémir et légèrement réduire pendant 5-7 min.
4 Rajoutez les blancs de poulet et leur jus. Faites cuire à feu doux 5 min.
5 Dressez l'émincé de poulet sur un plat de service. Incorporez la crème fraîche et la moutarde au bouillon de cuisson, mélangez bien, puis ajoutez le reste du beurre en battant vigoureusement. Vérifiez l'assaisonnement.
6 Répartissez la sauce sur le poulet et servez.

Page suivante
En haut Émincé de porc aux pruneaux et à l'orange
En bas Coquelets grillés au citron vert (p. 89)

Coquelets grillés au citron vert

Pour 2 personnes ~ Moins de 45 minutes

2 coquelets de 300 g env. chacun
55 g de beurre ramolli
le zeste râpé et le jus d'un citron vert non traité
2 gousses d'ail pilées
1/2 cuill. à café de coriandre moulue
1/2 cuill. à café de thym-citronnelle séché
1/4 de cuill. à café de harissa ou de sauce chili
2 cuill. à café de miel liquide
2 cuill. à soupe de yaourt à la grecque
sel et poivre du moulin

1 Préchauffez le gril au maximum. Coupez la volaille en deux dans le sens de la longueur. Pour accélérer la cuisson, aplatissez au rouleau à pâtisserie.
2 Dans une tasse avec la moitié du beurre, bien assaisonné, mettez la moitié du zeste, la coriandre, l'ail, le thym et l'épice choisie. Mélangez bien.
3 Avec une spatule ou la lame d'un grand couteau, appliquez cette farce entre la peau et la chair.
4 Mélangez le beurre et le zeste qui restent avec le jus de citron et le miel. Enduisez la volaille, assaisonnez.
5 Faites griller à chaleur vive, côté peau d'abord, pendant 10 min, en recueillant le jus de cuisson dans la lèchefrite. Retournez, laissez griller 10 min.
6 Baissez légèrement la température et remettez les morceaux dans leur position initiale. Arrosez avec le jus de cuisson et, éventuellement, le beurre citronné. Poursuivez la cuisson 10 min encore, ou jusqu'à ce qu'il sorte un jus transparent lorsque vous piquez le pilon. Laissez tel quel quelques minutes puis servez.
7 Déglacez le jus de cuisson avec le yaourt et nappez-en la volaille.

En haut Émincé de porc aux pruneaux et à l'orange (p. 86)
En bas Coquelets grillés au citron vert

Aiguillettes de canard

Pour 2 personnes ~ Moins de 30 minutes

1 gousse d'ail coupée en deux
1 magret de canard dégraissé, peau coupée en lanières et chair en aiguillettes
5-6 cuill. à soupe de vin blanc demi-sec
115 g de gros champignons de Paris émincés
2 tomates mûres pelées, épépinées et concassées
2 ciboules émincées
3 cuill. à soupe de bouillon de volaille (p. 13) ou d'eau
15 g de beurre
sel et poivre du moulin
huile
quelques brins de cerfeuil et de persil ciselés pour garnir

1 Huilez légèrement une sauteuse. Frottez l'intérieur d'ail.
2 Placez-la sur feu vif, ajoutez la peau du magret et laissez dorer quelques instants.
3 À feu moins vif, faites sauter les aiguillettes assaisonnées pendant quelques minutes, en remuant souvent.
4 Mouillez avec le vin et attendez qu'il frémisse.
5 Transférez le tout dans un plat et réservez.
6 Mettez champignons, tomates et ciboules dans la sauteuse avec 2-3 cuill. à soupe de bouillon ou d'eau. Laissez quelques minutes, puis ajoutez le magret et le jus de cuisson.
7 Incorporez le beurre. Assaisonnez et servez, garni de cerfeuil et de persil ciselés.

Ci-contre Petits choux farcis

Petits choux farcis

Le chou farci traditionnel est très consistant et exige une longue préparation. Ma version rapide ne réjouira pas les puristes, mais c'est du chou farci, beau et appétissant, et beaucoup moins lourd que le véritable.

Pour 4 personnes ~ Moins de 25 minutes

4 très petits choux, trognon et cœur ôtés
2 cuill. à café d'huile
85 g de lardons
2 cuill. à soupe de pignons
1/2 cuill. à café de thym, de sauge et d'origan séchés
3 grosses cuill. à soupe de fromage blanc
3 cuill. à soupe de vin blanc sec
4 tranches fines de jambon de pays taillées en lanières
55 g de beurre
1/2 cuill. à café de graines de carvi
sel et poivre du moulin

1 Portez de l'eau salée à ébullition dans une grande casserole. Mettez-y les choux côte à côte, couvrez et laissez cuire 5-7 min ; ils doivent être tendres, mais pas trop défaits.
2 Dans l'intervalle, faites chauffer l'huile dans une poêle et, sur feu moyen, faites-y revenir 2-3 min les lardons. Ajoutez pignons, herbes, fromage et vin et baissez le feu. Laissez cuire 3-5 min en remuant.
3 Ajoutez le jambon de pays, remuez, assaisonnez selon le goût et laissez chauffer.
4 Égouttez les choux, en réservant 5-7 cuill. à soupe de l'eau de cuisson. Épongez-les avec du papier absorbant. Laissez-les tiédir. Mettez l'eau de cuisson réservée et la moitié du beurre dans la casserole chaude. Placez sur feu doux.
5 Écartez délicatement les feuilles centrales d'un chou, mettez-y un peu de la farce, rabattez les feuilles dessus, mettez le chou dans la casserole. Faites de même avec les autres choux.
6 Répartissez le reste de beurre sur les choux et parsemez de carvi. Couvrez, laissez cuire quelques minutes. Arrosez les choux de jus et servez chaud.

GRAVES
1989

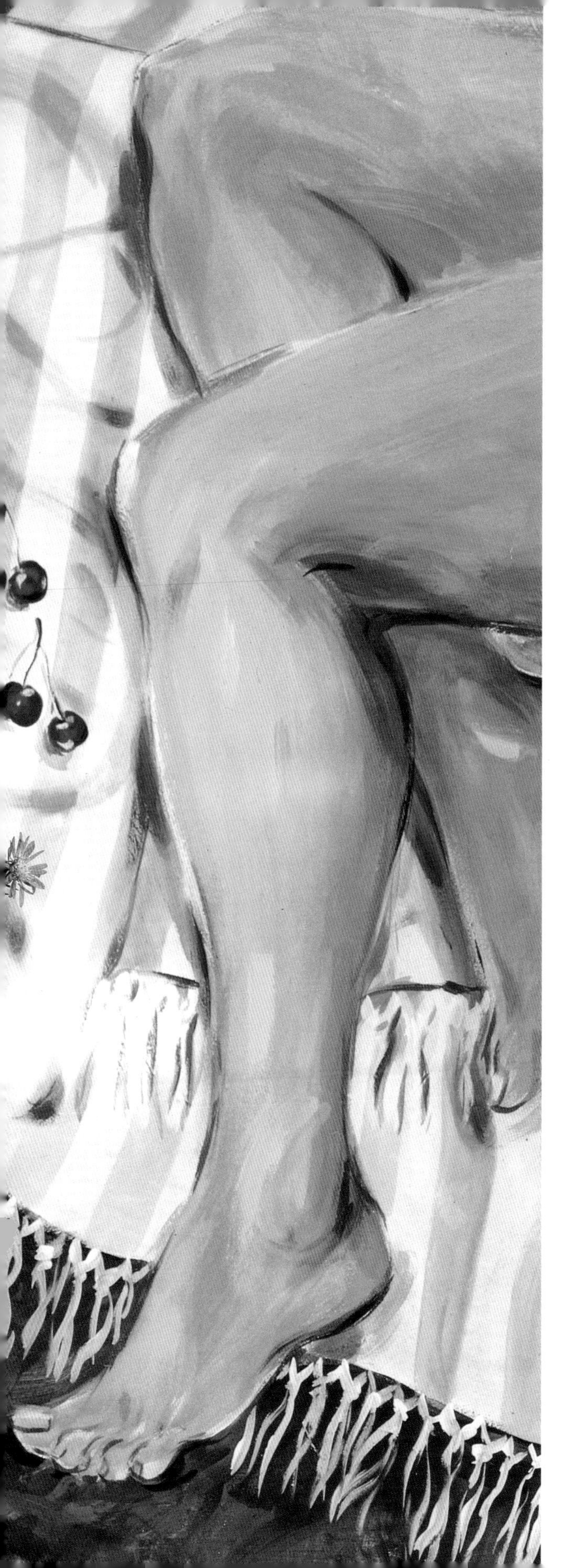

LÉGUMES ET SALADES

Si, dans la restauration, on a tendance
à dévaloriser les légumes,
baptisés « garniture »,
en famille, on les traite avec égard.

Carottes sautées

À table, les légumes figurent en entrée, crus ou rapidement blanchis pour qu'ils soient plus faciles à digérer, puis ils escortent le plat de viande ou de poisson. Après quoi arrive la salade verte. Les légumes sont donc omniprésents au cours d'un repas. Aussi vaut-il mieux les préparer simplement mais intelligemment, et les servir séparément, en petites portions appétissantes.

Pour 4 personnes ~ Moins de 25 minutes

400 g de carottes nouvelles parées et grattées
1/2 gousse d'ail
1 cuill. à soupe d'huile d'olive
15-30 g de beurre
1/4 de cuill. à café de cumin en poudre
1/4 de cuill. à café de coriandre en poudre
quelques brins de persil
sel et poivre du moulin

1 Faites bouillir un grand volume d'eau. Si les carottes sont petites, laissez-les entières ; sinon, émincez-les en rondelles pas trop fines.
2 Mettez les carottes dans une cocotte, couvrez-les d'un bon volume d'eau bouillante et salez-les. Faites reprendre l'ébullition et, sur feu vif, laissez-les cuire 3-5 min. Égouttez-les.
3 Frottez d'ail l'intérieur de la cocotte et replacez-la sur feu moyen.
4 Versez l'huile et faites fondre le beurre dedans. Ajoutez le cumin et la coriandre. Remuez.
5 Mettez les carottes dans le beurre aromatisé, salez et poivrez. Remuez bien.
6 Sur feu doux, laissez cuire 10-15 min à couvert, jusqu'à ce que les carottes soient tendres, en secouant le récipient de temps en temps.
7 Ciselez le persil sur les légumes au moment de servir.

Petits pois à l'étuvée

Pour renforcer la saveur de ce mets, ajoutez de la ciboule ciselée et/ou des lardons ou du jambon fumé coupé en lanières.

Pour 4 personnes ~ Moins de 15 minutes

quelques belles feuilles de laitue
30 g de beurre
4-5 cuill. à soupe de bouillon
400 g de petits pois surgelés
quelques brins de cerfeuil
sel et poivre du moulin

1 Taillez la laitue en chiffonnade : roulez chaque feuille et détaillez-la en fines lanières.
2 Faites fondre la moitié du beurre dans une grande casserole placée sur feu moyen. Ajoutez la laitue et le bouillon et laissez fondre la chiffonnade 2 min, en remuant.
3 Ajoutez les petits pois et laissez-les cuire le temps requis, en remuant de temps en temps.
4 Rectifiez l'assaisonnement. Ciselez du cerfeuil, remuez et servez avec le jus.

Courgettes à la crème

La même méthode s'applique également aux poireaux préalablement émincés.

Pour 4 personnes ~ Moins de 20 minutes

400 g de petites courgettes bien fermes
2 cuill. à café d'huile
30 g de beurre
1 grosse cuill. à soupe de crème fraîche ou de crème fleurette
quelques brins d'estragon
sel et poivre du moulin

1 Portez à ébullition un petit volume d'eau salée dans une grande casserole. Dès qu'elle bout, réglez sur feu moyen.
2 Coupez chaque courgette en quatre dans le sens de la longueur, puis détaillez-les en tronçons de 2 cm maximum.
3 Mettez dans l'eau. Dès que celle-ci frémit, laissez cuire les courgettes 2-3 min.
4 Égouttez-les bien. Laissez-les tiédir dans la passoire, puis épongez-les avec du papier absorbant – ce n'est pas grave si vous les écrasez un peu.
5 Remettez la casserole sur feu moyen. Ajoutez l'huile et étalez-la uniformément dans le récipient avec du papier absorbant.
6 Ajoutez les courgettes et asséchez-les 1 min, en remuant.
7 Répartissez des noix de beurre autour des légumes, remuez et laissez cuire 1 min encore.
8 Incorporez peu à peu la crème fraîche et mélangez 1 min encore. Assaisonnez selon le goût. Ciselez de l'estragon et servez.

Haricots verts au persil et aux pignons

Pour 4 personnes ~ Moins de 20 minutes

400 g de haricots verts extra-fins effilés
1 cuill. à café d'huile
15-30 g de beurre
1 cuill. à soupe de pignons ou d'amandes effilées
quelques brins de persil
sel et poivre du moulin

1 Portez à ébullition un grand volume d'eau salée dans une casserole. Pour préparer plus vite les haricots, prenez-en une petite poignée et coupez les extrémités avec des ciseaux.
2 Plongez les haricots dans l'eau et faites reprendre l'ébullition.
3 Laissez-les cuire 5-8 min sur feu vif, jusqu'à ce qu'ils soient à votre goût (ils continueront à cuire un peu après égouttage).
4 Égouttez-les bien. Avec du papier absorbant, huilez légèrement la casserole vide. Remettez-la sur feu moyen.
5 Faites-y fondre le beurre. Mettez-y les pignons ou les amandes à revenir 1 min, en remuant.
6 Ajoutez les haricots verts. Étalez-les uniformément, ciselez du persil dessus et remuez 1 min. Assaisonnez légèrement et servez immédiatement.

Pages suivantes
À gauche Carottes sautées
À droite Haricots verts au persil et aux pignons

MARTELL
COGNAC

Émincé de chou

Pour 4 personnes ~ Moins de 20 minutes

1 petit chou pommé
2 baies de genièvre
1 cuill. à café rase de poivre gris et noir en grains
1 cuill. à soupe d'huile
1/4 de cuill. à café de noix de muscade fraîche râpée
30 g de beurre
1 brin de thym frais
sel et poivre du moulin

1 Parez le chou, coupez-le en quatre, ôtez le cœur.
2 Faites bouillir un grand volume d'eau salée dans une casserole pouvant contenir les quartiers de chou côte à côte.
3 Mettez le chou dans l'eau bouillante, faites reprendre l'ébullition sur feu vif et laissez cuire 3 min env. à gros bouillons.
4 Dans l'intervalle, concassez grossièrement les baies de genièvre et le poivre dans un mortier, ou broyez-les au rouleau à pâtisserie.
5 Dès que le chou est cuit, passez-le sous l'eau froide et égouttez-le bien. Laissez-le tiédir.
6 Entre-temps, mettez la casserole sur feu doux avec l'huile. Dès qu'elle est chaude, ajoutez les épices concassées et la muscade. Remuez 1 min. Ajoutez une noisette de beurre, remuez et laissez sur feu doux.
7 Épongez le chou dans un linge propre ou avec du papier absorbant, en exprimant bien l'excès d'eau. Émincez-le finement.
8 Réglez sur feu vif sous la casserole. Ajoutez le chou aux épices, remuez afin de l'enrober et laissez revenir 2 min, en remuant souvent.
9 Couvrez, baissez un peu la flamme et laissez cuire 2-3 min, en secouant le récipient une fois ou deux.
10 Rectifiez l'assaisonnement. Au moment de servir, effeuillez le thym et mélangez-le au chou avec le reste de beurre.

Flageolets aux oignons et tomates

Pour 4 personnes ~ Moins de 15 minutes

450 g de flageolets au naturel, égouttés, rincés et égouttés à nouveau
170 g de tomates au naturel concassées, bien égouttées
4 ciboules
1 cuill. à soupe d'huile d'olive
1/2 cuill. à café de thym séché
sel et poivre du moulin

1 Faites chauffer l'huile dans une grande casserole. Ciselez la ciboule dedans, partie verte et bulbe. Laissez revenir 1 min sur feu moyen.
2 Ajoutez les tomates, le thym ; salez et poivrez. Laissez cuire 3 min, en remuant de temps en temps.
3 Mettez les flageolets et baissez légèrement la flamme.
4 Faites chauffer tout doucement, rectifiez l'assaisonnement et servez.

Haricots blancs au beurre maître d'hôtel

Nous avons tous recours, un jour ou l'autre, aux produits en conserve. Pourquoi pas, s'ils sont utilisés judicieusement, modérément et avec cette petite touche personnelle, ce « je-ne-sais-quoi » qui fait la différence... Ainsi, on a toujours en réserve des haricots blancs et des flageolets au naturel, de même que des petits pois ou des carottes (introduction p. 13).

Pour 4 personnes ~ Moins de 15 minutes

450 g de haricots blancs au naturel, égouttés, rincés et égouttés à nouveau
55 g de beurre ramolli
1 cuill. à café de jus de citron
quelques brins de persil et de ciboulette
1 cuill. à soupe de vin blanc
1 cuill. à café d'huile
sel et poivre du moulin

1 Dans une tasse, travaillez ensemble le beurre et le jus de citron. Salez et poivrez bien. Ciselez pardessus une bonne quantité d'herbes fraîches.
2 Mettez le vin et l'huile dans une grande casserole. Ajoutez les haricots et faites-les chauffer sur feu très doux.
3 Répartissez le beurre aux herbes sur les haricots et remuez jusqu'à ce qu'il soit fondu.

Fèves à l'estragon

Pour 4 personnes ~ Moins de 15 minutes

350 g de fèves surgelées
15 g de beurre
quelques brins d'estragon frais ou 1 cuill. à café d'estragon séché
1 grosse cuill. à soupe de crème fraîche
sel et poivre du moulin

1 Faites bouillir de l'eau salée dans une casserole, mettez-y les fèves et laissez-les cuire 5-7 min sur feu moyen, ou jusqu'à ce qu'elles soient tendres.
3 Égouttez-les bien. Remettez la casserole sur feu doux. Faites-y fondre le beurre et ajoutez l'estragon (s'il s'agit d'estragon séché), puis les fèves. Salez et poivrez légèrement.
4 Remuez jusqu'à ce que les fèves soient bien enrobées de beurre. Si vous employez de l'estragon frais, ciselez-le sur les légumes et remuez.
5 Incorporez la crème peu à peu, remuez et servez immédiatement.

Choux de Bruxelles au carvi

Certains de mes amis les détestent, mais j'ai toujours eu un penchant pour les choux de Bruxelles depuis le jour où, enfant, je me suis rendu compte qu'on pouvait les manger un à un comme des bonbons. Un petit chou de Bruxelles jeune est un régal : nappé de beurre, il croque délicatement sous la dent et a une saveur exquise. Toutefois, je reconnais qu'ils ne sont guère savoureux s'ils sont gros et trop cuits.

Pour 4 personnes ~ Moins de 20 minutes

400 g de petits choux de Bruxelles extra-frais, parés
1 cuill. à café d'huile
15-30 g de beurre
1 cuill. à café 1/2 de graines de carvi
sel et poivre du moulin

1 Faites bouillir de l'eau salée dans une casserole.
2 Mettez-y les choux de Bruxelles et faites reprendre l'ébullition.
3 Laissez-les cuire 5-7 min sur feu moyen ou vif, jusqu'à ce qu'ils soient juste tendres. Vérifiez leur cuisson au bout de 4 min et, surtout, ne les laissez pas trop cuire.
4 Égouttez-les bien. Épongez-les avec du papier absorbant. Huilez légèrement la casserole et placez-la sur feu moyen.
5 Faites-y fondre le beurre et ajoutez les graines de carvi. Remuez-les dans la matière grasse.
6 Mettez les choux de Bruxelles, mélangez bien le tout, assaisonnez légèrement et servez chaud.

À GAUCHE *Fèves à l'estragon (p. 99)*
À DROITE *Choux de Bruxelles au carvi*

Épinards en branches

Ils sont si simples à préparer que j'hésite ici à parler de recette. Les épinards en branches accompagnent subtilement de nombreux plats, comme le steak haché aux anchois (p. 80) et les Saint-Jacques poêlées (p. 66).

Pour 2 personnes ~ Moins de 10 minutes

350 g de petites feuilles d'épinard, équeutées
45 g env. de beurre
1 petite pincée de noix de muscade fraîchement râpée (facultatif)
sel

1 Faites fondre la moitié du beurre dans une cocotte placée sur feu moyen.
2 Mettez-y les épinards, remuez et couvrez.
3 Laissez-les suer 3 min dans le beurre, en secouant le récipient à plusieurs reprises.
4 Incorporez le reste de beurre et parfumez éventuellement avec la noix de muscade. Salez légèrement.

Champignons farcis

On peut utiliser du beurre avec l'huile, mais c'est facultatif. Pour une saveur plus prononcée, remplacez le fromage blanc par un fromage persillé ou du chèvre frais, sans anchois. Servez avec des steaks ou des côtelettes grillés, et une salade verte, en plat principal pour deux.

Pour 4 personnes ~ Moins de 30 minutes

12 gros champignons de Paris bien sains, parés
quelques gouttes de jus de citron
1 ou 2 gousses d'ail hachées
quelques brins de persil commun
1 cuill. à café de thym séché, ou un mélange de sarriette et de marjolaine
1 tranche épaisse de pain un peu rassis, sans la croûte
2 filets d'anchois en conserve, égouttés, émincés (facultatif)
85 g de fromage blanc allégé
1 cuill. à soupe d'huile d'olive, plus de quoi huiler et arroser
un trait de sauce Tabasco
un trait de sauce Worcestershire
sel et poivre du moulin

1 Faites bouillir de l'eau légèrement salée avec le jus de citron. Préchauffez le gril au maximum.
2 Mettez les champignons dans l'eau bouillante. Laissez frémir 1 min après la reprise de l'ébullition.
3 Égouttez-les et posez-les sur une double épaisseur de papier absorbant. Épongez-les et ôtez les pieds (utilisez-les dans un bouillon).
4 Huilez un plat à gratin.
5 Avec le robot ménager ou dans un bol, travaillez ensemble ail, herbes, pain et, éventuellement, anchois. Ajoutez le fromage et 1 cuill. à soupe d'huile. Salez, poivrez et épicez. Travaillez à nouveau cette farce et rectifiez l'assaisonnement.
6 Farcissez les champignons. Arrosez d'huile d'olive.
7 Faites griller à chaleur modérée 10 min env., jusqu'à ce que la farce gratine. Si besoin est, tournez le plat pour que la cuisson soit uniforme. Servez chaud.

Poivrons au four

Faire griller des poivrons est une véritable corvée. J'en prépare donc plus qu'il ne m'en faut. Ils se gardent quelques jours au réfrigérateur. Pour une entrée légère, mélangez-les à de l'avocat coupé en dés, arrosé d'huile d'olive vierge et d'une cuill. à café de jus de citron jaune ou vert. Utilisez-les aussi dans une piperade (p. 34).

Pour 6 personnes (4 si vous en gardez) ~ Moins de 45 minutes

3 gros poivrons rouges bien sains
2 gros poivrons jaunes bien sains
1 gros poivron vert bien sain
2 cuill. à soupe 1/2 d'huile d'olive vierge extra
2 gousses d'ail pilées
1 cuill. à café du zeste finement râpé d'un citron jaune ou vert non traité
sel et poivre du moulin

1 Préchauffez le four à 230 °C. Rangez les poivrons côte à côte dans la lèchefrite tapissée d'une double épaisseur de papier d'aluminium.
2 Laissez-les 8 min env., jusqu'à ce que la peau commence à se boursoufler. Retournez-les et laissez-les 5-7 min encore, jusqu'à ce qu'ils soient bien noircis. Sortez-les du four, couvrez-les de papier journal et laissez-les tiédir.
3 Dès que vous pouvez les manipuler, pelez-les. Retirez le cœur et les graines. Coupez-les en deux et essuyez-en l'intérieur avec du papier absorbant pour enlever les graines qui adhèrent à la chair. Détaillez-les en lanières.
4 Recueillez le jus tombé sur le papier d'aluminium.
5 Sur feu moyen, mettez l'huile à chauffer dans une poêle. Ajoutez le jus des poivrons, l'ail et le zeste. Remuez.
6 Mettez les lanières de poivron dans la poêle et mélangez bien. Assaisonnez légèrement. Servez chaud.

Pommes poêlées

Accompagnement traditionnel des côtes de porc et du boudin grillés, servis avec une réduction à base de moutarde et de vin blanc, elles sont également excellentes avec les aiguillettes de magret de canard poêlées, puis nappées d'une sauce au porto et à la gelée de groseille.

Pour 4 personnes ~ Moins de 15 minutes

6 petites pommes de la variété Cox
1 cuill. à soupe d'huile
1/2 cuill. à café de thym séché
15 g de beurre
sel et poivre du moulin

1 Coupez les pommes en quartiers et ôtez-en le cœur.
2 Faites chauffer l'huile dans une poêle. Ajoutez le thym et la moitié du beurre.
3 Disposez les pommes côte à côte dans la matière grasse. Couvrez et laissez cuire 3 min sur feu doux, en secouant le récipient de temps en temps.
4 Retournez délicatement les fruits. Répartissez le beurre qui reste tout autour de la poêle, augmentez un peu la flamme et laissez cuire 2-3 min à découvert. Assaisonnez légèrement et servez chaud.

Pommes de terre poêlées

Garniture par excellence d'une multitude de mets, elles peuvent aussi devenir un plat consistant à elles seules : faites sauter des champignons dans la poêle pendant que les pommes de terre cuisent, réservez-les entre deux épaisseurs de papier absorbant et ajoutez-les aux pommes de terre croustillantes au moment de servir. Autres mélanges possibles : des lardons sautés, des haricots verts ou des bouquets de chou-fleur à l'eau, des ciboules ou des tomates concassées. Un verre de bergerac rouge généreux accompagnera bien ce dîner sans prétention.

Pour 4 personnes ~ Moins de 35 minutes

350 g de petites pommes de terre de même grosseur, bien brossées
1/2 gousse d'ail
2 1/2 cuill. à soupe d'huile d'olive
quelques brins de persil et de ciboulette
sel et poivre du moulin

1 Faites bouillir un grand volume d'eau salée dans une casserole. Mettez-y les pommes de terre et faites reprendre l'ébullition, sur feu vif.
2 Baissez le feu afin que l'eau frémisse seulement. Laissez cuire les pommes de terre 12 min env., jusqu'à ce qu'elles soient tendres mais un peu fermes au cœur.
3 Égouttez-les bien et passez-les sous l'eau froide. Laissez-les tiédir.
4 Frottez d'ail l'intérieur d'une grande poêle. Faites-y chauffer la moitié de l'huile.
5 Épluchez les pommes de terre et coupez-les en gros morceaux. Assaisonnez-les et étalez-les dans la poêle.
6 Laissez-les sur feu assez vif pendant 2 min, sans les remuer afin qu'elles dorent. Remuez, baissez le feu, arrosez-les d'huile et poursuivez la cuisson 2 min encore, en secouant la poêle de temps en temps.
7 Remuez-les, arrosez-les à nouveau d'huile et ciselez les herbes dessus. Assaisonnez légèrement, mélangez et servez.

Gratin de pommes de terre express

Contrairement à ce que l'on croit, cuire des pommes de terre dans de l'eau bouillant à gros bouillons ne va pas plus vite que de les cuire à l'eau frémissante. Elles risquent surtout de ne pas cuire uniformément. Pour je ne sais quelle raison, il m'a fallu du temps pour accepter cette réalité. Depuis, mes plats de pommes de terre sont plus présentables.

Pour 4 personnes ~ Moins de 35 minutes

350 g de petites pommes de terre nouvelles de même grosseur, bien grattées
2 cuill. à soupe d'huile d'olive, plus de quoi huiler le plat
1/2 cuill. à café de thym séché en poudre
1/4 de cuill. à café de marjolaine ou d'origan séché(e)
1/4 de cuill. à café de sauge séchée en poudre
15 g de beurre, ou davantage selon le goût
sel et poivre du moulin

1 Faites bouillir un grand volume d'eau salée dans une casserole. Mettez-y les pommes de terre et faites reprendre l'ébullition sur feu vif.
2 Dès que l'eau bout, baissez le feu, laissez juste frémir. Laissez cuire les pommes de terre 15 min env., de manière qu'elles soient tendres mais un peu fermes au cœur.
3 Préchauffez le gril à chaleur vive. Huilez un plat à gratin.
4 Égouttez les pommes de terre et passez-les sous l'eau froide. Égouttez-les à nouveau et épongez-les avec du papier absorbant.
5 Émincez-les grossièrement et disposez-les dans le plat huilé. Salez et poivrez bien. Parsemez d'herbes séchées, arrosez d'huile et répartissez des noisettes de beurre par-dessus.
6 Faites gratiner sous le gril, en secouant le plat et en le tournant de temps en temps. Servez chaud.

CI-CONTRE
Gratin de pommes de terre express

Petites pâtes aux échalotes fondues

On consomme énormément de pâtes en France, mais les présenter en plat principal est une coutume récente. Toutefois, les petites pâtes de toutes sortes, coquillettes et autres, sont depuis toujours servies comme garniture. On les apprête couramment avec un bon morceau de beurre, du gruyère râpé et un peu de persil haché : elles sont tellement délicieuses qu'il suffit d'une tranche épaisse de jambon de Paris et d'une salade verte pour faire un repas familial dans la plus pure tradition.

Cette recette, toute simple, est idéale avec les grillades et les sautés, le poulet rôti ou le gigot froids.

Pour 4 personnes ~ Moins de 20 minutes

250 g env. de pâtes
1 cuill. à café d'huile
200 g d'échalotes fraîches (8 env.)
55 g de beurre
sel et poivre du moulin

1 Faites bouillir un bon volume d'eau salée dans une casserole ; mettez-y un filet d'huile. Ajoutez les pâtes et laissez-les cuire à gros bouillons jusqu'à ce qu'elles soient *al dente*.
2 Entre-temps, émincez finement les échalotes.
3 Faites fondre le beurre dans une cocotte placée sur feu doux. Mettez-y les échalotes et remuez-les dans le beurre.
4 Couvrez et laissez-les fondre 7-10 min à feu doux, en les remuant et en secouant le récipient de temps à autre en cours de cuisson. Ajoutez un peu de beurre et, si besoin est, ôtez la cocotte du feu un bref instant. Les échalotes ne doivent pas dorer. Salez et poivrez légèrement.
5 Égouttez les pâtes et mélangez-les aux échalotes fondues. Remuez bien.

Salade chaude de pommes de terre

Préférez des variétés à chair ferme, qui ne se défont pas à la cuisson et que vous ferez cuire avec la peau, ou, en saison, des pommes de terre nouvelles faciles à gratter. Il existe aussi des pommes de terre pré-épluchées.

Pour 4 personnes ~ Moins de 30 minutes

450 g de petites pommes de terre, bien brossées
1 échalote finement hachée
1/2 gousse d'ail pilée (facultatif)
3 cuill. à soupe d'huile d'olive
1 cuill. à soupe de mayonnaise toute prête, de qualité
quelques brins de persil commun
2 cuill. à café de vinaigre de vin rouge ou de vin fin
sel et poivre du moulin

1 Faites bouillir un grand volume d'eau salée dans une casserole.
2 Mettez-y les pommes de terre et faites reprendre l'ébullition sur feu vif.
3 Dès que l'eau bout, baissez la flamme afin qu'elle frémisse seulement. Laissez cuire les pommes de terre 15 min env. Elles doivent être un peu fermes au cœur.
4 Entre-temps, faites la sauce : dans un bol, mélangez l'échalote et, éventuellement, l'ail avec l'huile et la mayonnaise. Ciselez beaucoup de persil par-dessus. Mélangez à la fourchette, versez le vinaigre, mélangez à nouveau et assaisonnez.
5 Égouttez les pommes de terre et laissez-les tiédir. Épongez-les avec du papier absorbant.
6 Dès qu'elles ont refroidi, pelez-les et émincez-les.
7 Mettez-en la moitié dans un plat de service, avec la moitié de la sauce. Remuez délicatement. Ajoutez le reste de pommes de terre et de sauce.
8 Servez tiède ou froid. Cette salade se garde un jour ou deux au frais. Sortez-la du réfrigérateur quelque temps avant de servir pour qu'elle soit à température ambiante.

Petite purée de pommes de terre

Idéale avec des saucisses de Toulouse grillées ou d'autres viandes, garnies de flageolets aux oignons et tomates (p. 98). Le basilic transmet son parfum aux pommes de terre. Vous pouvez aussi la parfumer avec du persil commun, des épinards ou de l'oseille, ou encore la servir nature. Je recommande aussi le thym et la ciboulette, mais le résultat est moins coloré.

Pour 4 personnes ~ Moins de 35 minutes

450 g de petites pommes de terre d'égale grosseur, bien brossées
45-55 g de beurre
4-6 feuilles de basilic, ou 1 cuill. à soupe rase de pesto
3-4 cuill. à soupe de lait
1 cuill. à soupe de crème fraîche (facultatif)
sel et poivre du moulin

1 Faites bouillir un grand volume d'eau salée dans une casserole.
2 Mettez-y les pommes de terre et faites reprendre l'ébullition sur feu vif.
3 Dès que l'eau bout, baissez la flamme afin qu'elle frémisse juste. Laissez cuire les pommes de terre 15-17 min. Elles doivent être cuites, mais non défaites. Égouttez-les et passez-les sous l'eau froide. Laissez-les tiédir.
4 Entre-temps, mettez le tiers du beurre dans la casserole et faites-le fondre sur feu doux. Ciselez le basilic par-dessus, remuez, ou ajoutez le pesto. Allongez de 3 cuill. à soupe de lait.
5 Pelez les pommes de terre et écrasez-les délicatement. Mélangez-les, en fouettant, au lait et au beurre. Ajoutez le reste de lait – sauf si c'est trop liquide.
6 Toujours sur feu doux, incorporez le reste de beurre, peu à peu, puis, éventuellement, la crème. Rectifiez l'assaisonnement et servez chaud.

Laitue et trévise au jus

Cette salade braisée quelque peu amère, facile à préparer, s'accorde bien avec le poisson et les pommes de terre sautées. La quantité de beurre varie selon le mets avec lequel vous la servez.

Pour 4 personnes ~ Moins de 15 minutes

4 petits cœurs de laitue
4 têtes de trévise, ou quelques feuilles grossièrement ciselées
1 cuill. à café d'huile
30-45 g de beurre
1 pincée de noix de muscade fraîche râpée
1 cuill. à café de sauce soja
sel et poivre du moulin

1 Dans une grande sauteuse, mettez l'huile avec la moitié du beurre. Faites chauffer sur feu moyen, jusqu'à ce que le beurre soit fondu.
2 Mettez-y la laitue et la trévise. Assaisonnez de noix de muscade, salez et poivrez. Couvrez et laissez suer 3 min, en secouant le récipient de temps en temps.
3 Retournez les salades. Parsemez-les avec le reste de beurre et assaisonnez à nouveau. Mouillez avec 2-3 cuill. à soupe d'eau et la sauce soja ; versez cette dernière directement dans le récipient et non sur les salades.
4 Couvrez et laissez cuire 3 min encore, en secouant la sauteuse plusieurs fois. Servez arrosé du jus de cuisson.

Salade de mâche à la betterave

Les cerneaux de noix sont facultatifs dans cette recette. Si, comme moi, vous aimez la mâche telle quelle, contentez-vous de l'assaisonner avec un peu d'huile de noix mélangée à de l'huile d'arachide, du sel et du poivre. Laissez-la au frais 20 min avant de la servir.

Pour 4 personnes ~ Moins de 15 minutes

1 petite betterave rouge, pelée et râpée, ou coupée en fins bâtonnets
100 g de mâche parée et lavée
1 grosse cuill. à soupe de mayonnaie toute prête, de bonne qualité
1 cuill. à café de moutarde de Dijon
1 cuill. à soupe 1/2 d'huile d'olive, ou 1 cuill. à soupe d'huile d'arachide et 2 cuill. à café d'huile de noix
1 cuill. à café de vinaigre de vin
sel et poivre du moulin

1 Mélangez la mayonnaise et la moutarde dans une jatte. Ajoutez la betterave et remuez pour bien l'enrober. Si besoin est, rectifiez l'assaisonnement.
2 Dans un saladier de service, assaisonnez la mâche avec l'huile et le vinaigre. Salez et poivrez.
3 Ajoutez la betterave. Remuez délicatement afin de la mélanger à la mâche et servez immédiatement.

Pages précédentes
À gauche Salade d'endives aux noix
À droite Salade de mâche à la betterave

Salade d'endives aux noix

Cette salade rafraîchissante peut être étoffée de gruyère coupé en dés et de lamelles de jambon de pays fumé.

Pour 4 personnes ~ Moins de 15 minutes

2 endives et 2 têtes de trévise parées
2 cuill. à soupe 1/2 d'huile d'arachide, plus de quoi huiler la poêle
1/4 de cuill. à café de moutarde de Dijon
1 cuill. à café de vinaigre de vin rouge ou de vin fin
1 cuill. à café de raisins de Corinthe préalablement trempés
1/4 de cuill. à café de sucre
2 cuill. à soupe de cerneaux de noix frais fragmentés
sel et poivre du moulin

1 Effeuillez les têtes d'endive et de trévise et coupez les feuilles joliment.
2 Dans un saladier de service, mélangez l'huile, la moutarde, le vinaigre, les raisins et le sucre. Salez et poivrez.
3 Ajoutez la salade, tournez-la délicatement afin de bien l'assaisonner et laissez-la reposer quelques minutes.
4 Huilez légèrement une petite poêle et mettez-y les cerneaux à revenir 1-2 min sur feu moyen. Assaisonnez-les légèrement.
5 Répartissez-les sur la salade, tournez et servez.

SALADE PRINTANIÈRE

Pour 4 personnes ~ Moins de 10 minutes

quelques feuilles de laitue parées
une poignée de feuilles de roquette parées
1 petite poignée de jeunes feuilles d'épinard ou d'oseille, parées et équeutées
quelques brins de cerfeuil et de persil
3 cuill. à soupe d'huile d'olive
2 cuill. à café de vinaigre de vin
sel et poivre du moulin

1 Fragmentez les grandes feuilles de la laitue. Mettez-la avec la roquette et les épinards ou l'oseille dans un saladier de service.
2 Ciselez le cerfeuil et le persil par-dessus. Mélangez.
3 Mélangez l'huile et le vinaigre dans une tasse. Salez bien et poivrez modérément.
4 Au moment de servir, arrosez la salade de vinaigrette et tournez-la délicatement.

SALADE TIÈDE AUX TOMATES

J'ajoute parfois aux tomates quelques morceaux d'anchois revenus à la poêle et je remplace la menthe par du basilic. Dans les deux cas, cette salade est parfaite avec les coquelets grillés au citron vert (p. 89), le saumon poêlé au poivre vert (p. 76) et bien d'autres poissons grillés ou poêlés.

Pour 4 personnes ~ Moins de 15 minutes

12 petites olives noires env., dénoyautées
6-8 tomates fermes et mûres
1/4 de cuill. à café de sarriette, marjolaine, thym ou origan séchés
2-3 cuill. à soupe d'huile d'olive vierge extra
1 citron non traité : 1 cuill. à café de son jus et 1/2 cuill. à café du zeste finement râpé
quelques feuilles de menthe ou de basilic
sel et poivre du moulin

1 Faites bouillir de l'eau.
2 Concassez grossièrement les olives.
3 Versez l'eau bouillante dans un grand saladier. Mettez-y les tomates et laissez-les tremper 1 min.
4 Entre-temps, mélangez les olives avec les herbes, l'huile, le jus de citron et le zeste, dans une tasse. Assaisonnez.
5 Égouttez les tomates et pelez-les. Coupez-les en quatre. Épépinez-les et ôtez un peu de pulpe. Dressez-les sur un plat de service.
6 Ciselez la menthe ou le basilic sur les tomates. Arrosez-les avec la vinaigrette aux olives, remuez délicatement et servez.

au Cirqu
MOËT

FROMAGES, FRUITS ET DESSERTS

Pour les personnes très pressées,
en semaine, le dessert se limite
souvent à un fromage, à un yaourt
ou à du fromage blanc,
accompagné d'un fruit.

Compote d'abricots

La compote de fruits maison se décline de maintes façons, chacun ayant sa recette pour utiliser la récolte du verger ou les fruits achetés en saison sur le marché. Cette recette s'applique aussi aux pêches et aux nectarines. Si vous utilisez des prunes, ne les pelez pas, laissez-les pocher encore plus doucement et abrégez le temps de cuisson. Servez votre compote avec des galettes bretonnes et, pourquoi pas, une rosette de crème fraîche.

Pour 4 personnes ~ Moins de 20 minutes, plus mise au frais

450 g d'abricots mûrs et fermes
25 cl de vin blanc, ou de vin blanc allongé d'eau, ou d'eau tout simplement
3 cuill. à soupe rases de sucre
1 pincée de cannelle
1 cuill. à soupe de confiture d'abricots
1 cuill. à soupe de kirsch

1 Faites bouillir de l'eau. Mettez les abricots dans une casserole, couvrez-les d'eau bouillante et laissez frémir sur feu moyen 2-3 min.
2 Entre-temps, dans une autre casserole, chauffez le vin ou le liquide choisi jusqu'à ce qu'il frémisse, en l'ayant au préalable additionné de sucre et de cannelle. Remuez souvent.
3 Avec une écumoire, sortez un abricot de l'eau bouillante et, avec un couteau pointu, vérifiez si la peau se retire facilement.
4 Dès qu'ils sont prêts, égouttez-les et pelez-les. Coupez-les en deux et dénoyautez-les.
5 Mettez-les dans le sirop frémissant, baissez la flamme et laissez-les pocher 3-4 min, selon la grosseur, jusqu'à ce qu'ils soient tendres mais pas trop.
6 Transférez la compote dans un compotier préalablement rafraîchi. Dans une tasse, mélangez la confiture et le kirsch et incorporez-les délicatement aux fruits. Laissez refroidir avant de servir ou, mieux encore, dégustez très frais.

Poires au roquefort

Mets réservé à ceux qui se passent d'un dessert sucré.

Pour 4 personnes ~ Moins de 30 minutes

4 poires William fermes mais mûres
30 cl de vin rouge additionné de 30 cl d'eau
3 cuill. à soupe de sucre
15 g de beurre
55 g de roquefort ou de fourme d'Ambert
2 cuill. à café de cognac (facultatif)
1 cuill. à soupe de fromage blanc
1 cuill. à soupe de yaourt à la grecque ou velouté

1 Coupez les poires en deux, sans ôter la queue. Versez le vin et l'eau dans une large casserole. Ajoutez le sucre, portez à ébullition sur feu vif ; remuez de temps en temps.
2 Dans l'intervalle, ôtez le cœur des poires, toujours sans retirer la queue. Avec un couteau économe, pelez les fruits délicatement.
3 Baissez le feu sous la casserole. Mettez-y les poires et laissez-les pocher, à petit feu, 5-10 min, jusqu'à ce qu'elles soient tendres mais non défaites.
4 Avec une écumoire, transférez-les sur du papier absorbant. Laissez-les tiédir pendant que vous faites la sauce au roquefort.
5 Augmentez la flamme sous le liquide de pochage et laissez-le réduire, sans bouillir.
6 Dans une petite casserole avec le beurre fondu, à feu doux, ajoutez le fromage émietté et remuez pour qu'il fonde. Parfumez, éventuellement, avec le cognac, ajoutez fromage blanc et yaourt. Mélangez bien.
7 Répartissez les poires sur 4 assiettes à dessert, en calant joliment une des moitiés sur l'autre. Arrosez-les avec 2 cuill. à café env. de sirop réduit. Faites réduire le reste et réservez-le pour un autre usage, ou pour parfumer – un soupçon seulement – une sauce salée pour du canard ou des saucisses. Arrosez les poires de sauce au roquefort et servez.

Pommes et poires à la poêle

Cette « fricassée » de fruits à la normande est superbe, surtout avec un soupcon de calvados. Pour un dessert plus gourmand, servez avec de la glace vanille, du yaourt à la grecque et/ou du fromage blanc avec de la gelée de groseille. On peut préparer des bananes de la même manière. Coupez en deux dans la longueur 4 bananes assez mûres mais fermes. Parfumez-les avec un soupçon de cannelle et faites-les cuire comme ci-dessous, avec moitié moins de beurre et de sucre. Retournez-les au bout de 3 min. Déglacez avec 1 cuill. à soupe de rhum ou de kirsch.

Pour 4 personnes ~ Moins de 25 minutes

4 petites, ou 2 grosses, belles poires mûres et fermes
4 petites, ou 2 grosses, pommes à couteau
2 cuill. à café de jus de citron
85 g de beurre
85 g de sucre semoule
2 cuill. à café de calvados ou d'alcool de poire (facultatif)

1 Coupez les poires en quatre, ôtez le cœur, pelez-les ; faites de même pour les pommes. Arrosez-les de jus de citron.
2 Dans une grande poêle avec la moitié du beurre fondu, sur feu doux, ajoutez la moitié du sucre en pluie, en couche aussi uniforme que possible.
3 Mettez-y les poires. Sur feu plus vif, faites-les sauter 3 min dans le beurre, en les secouant de temps en temps.
4 Poussez-les sur le côté et ajoutez les pommes. Faites-les cuire 2 min de la même façon.
5 Retournez délicatement les fruits.
6 Fractionnez le beurre qui reste et glissez-le entre les quartiers de fruit. Saupoudrez de sucre.
7 Réglez sur feu vif. Laissez cuire 5 min encore, jusqu'à ce que les fruits soient dorés et caramélisés.
8 Selon le goût, arrosez de calvados ou d'alcool de poire. Servez chaud ou tiède avec, éventuellement, un des accompagnements cités ci-dessus, voire plusieurs.

Fromages et fruits

Un beau plateau de fromages suivi d'une corbeille appétissante de fruits frais et vibrants de couleurs est, je ne vous apprends rien, une manière idéale de couronner un repas – que l'on soit pressé ou pas. Le seul problème, c'est qu'une sélection de fromages de qualité et affinés à point risque de coûter plus cher que le plat principal…
Quand le budget ne permet pas d'extravagances, mieux vaut préférer la qualité à la quantité. Plutôt qu'un plateau médiocre comprenant un brie plâtreux, un bleu tristounet et un chèvre industriel, choisissez un fromage unique mais excellent : un camembert AOC fait à cœur, parfumé, qui rebondit souplement sous le pouce ; un sainte-maure ou un valençay fermier, à peine sec, au bouquet prononcé ; une fourme d'Ambert savoureuse et presque fondante…
De temps en temps, servez ensemble fromage et fruits.
Il existe plusieurs combinaisons délicieuses, certaines classiques, d'autres méconnues :
~ camembert avec des lamelles de pommes juteuses de Normandie ;
~ comté ou gruyère avec des pommes rainettes ;
~ brillat-savarin ou autre fromage de vache bien crémeux avec du raisin rouge ;
~ fromage de chèvre frais avec du raisin blanc ;
~ cantal avec du raisin muscat ;
~ roquefort ou bleu d'Auvergne avec des poires bien mûres, etc.
La présentation compte beaucoup. Le mélange fromage-fruit doit donner envie d'être dégusté. Si vous avez quelques minutes, découpez et épluchez les fruits, et détaillez les fromages de manière alléchante. Servez sur un joli plat, un plateau recouvert de feuilles de vigne, dans une corbeille d'osier… Donnez à vos convives l'envie de finir le repas en grignotant, sans se dépêcher.

au Cir

ue

Brioches rôties

C'est le bon vieux dessert à l'ancienne, qui permet d'utiliser avantageusement un reste de brioche, ou de viennoise. Confiture de framboises et amandes peuvent être remplacées par de la confiture d'abricots et des raisins secs mis à gonfler dans du kirsch.

Pour 4 personnes ~ Moins de 30 minutes

4 tranches épaisses de brioche légèrement rassise
2-3 cuill. à soupe de confiture de framboises
1 petit œuf
45 g env. de beurre ramolli, plus de quoi beurrer le plat
6 cuill. à soupe de lait entier
3 cuill. à soupe env. de sucre semoule, ou davantage selon le goût
1 pincée de cannelle
3 cuill. à soupe d'amandes effilées

1 Préchauffez le four à 200 °C.
2 Beurrez généreusement un plat à gratin et les tranches de brioche, d'un côté seulement.
3 Tartinez chaque tranche avec 2 grosses cuill. à café de confiture et disposez-les au fur et à mesure dans le plat.
4 Dans une tasse, battez ensemble l'œuf et le lait. Incorporez 2 cuill. à soupe de sucre et la cannelle.
5 Nappez les tranches de brioche d'œuf battu aromatisé.
6 Parsemez d'amandes sur le dessus. Saupoudrez avec le reste de sucre et mettez des noisettes de beurre.
7 Faites dorer au four 15 min env. Servez chaud ou tiède.

Brochettes de fruits caramélisées

Très raffinées sur l'assiette, ces brochettes offrent aussi au palais un contraste de textures agréable. À votre gré, remplacez le fromage blanc par du chocolat amer fondu : avant de les cuire, badigeonnez-les avec la moitié du beurre et du sucre, et supprimez le jus d'orange.

Pour 2 personnes ~ Moins de 20 minutes

un assortiment de fruits de saison mûrs mais fermes : pommes, nectarines, raisin, clémentines, poires, abricots, morceaux d'ananas frais, etc.
45 g de beurre ramolli
3 cuill. à café de cognac ou de whisky
2 cuill. à café de jus d'orange (non traitée) et 1 cuill. à café du zeste râpé finement
1 cuill. à soupe rase de sucre de canne
1 cuill. à soupe 1/2 de fromage blanc bien frais
1 cuill. à soupe 1/2 de yaourt à la grecque bien frais

1 Préchauffez le gril à chaleur vive.
2 Coupez les fruits de façon décorative. Enfilez-les, sans les serrer, sur 4 à 6 brochettes en bois humectées.
3 Dans une petite casserole, faites fondre le beurre. Mélangez-le à 2 cuill. à café de cognac ou de whisky, au jus d'orange et au sucre.
4 Badigeonnez les morceaux de fruit avec le beurre aromatisé.
5 Faites griller 1-2 min de chaque côté, à chaleur modérée.
6 Battez le fromage blanc avec le yaourt afin de bien les mélanger. Incorporez le reste d'alcool et le zeste d'orange.
7 Disposez 2 ou 3 brochettes sur chaque assiette, arrosez éventuellement avec le jus de cuisson et garnissez avec la moitié du fromage blanc.

Ci-contre Brochettes de fruits caramélisées
Pages suivantes
À gauche Pêches au vin (p. 122)
À droite Coupe de fruits d'été (p. 122)

Cirque

Coupe de fruits d'été

J'aime ce mélange de fruits, mais faites en fonction de vos goûts et des fruits disponibles. Ce dessert simple permet de déguster aisément des fruits frais.
Avant le repas, consacrez quelques minutes à la préparation de cette coupe et mettez-la à rafraîchir pendant que vous mangez l'entrée. Pelez les fruits, éventuellement, et détaillez les plus gros en quartiers ou en tranches, que vous disposerez en cercles concentriques, un peu comme pour une tarte.

Pour 4 personnes ~ Moins de 15 minutes, plus mise au frais

1 pêche blanche
1 nectarine ou 1 pêche jaune
2 pommes
1 poire
2 grosses prunes
2 grosses cuill. à soupe de fraises des bois ou de petites fraises bien mûres
2 grosses cuill. à soupe de framboises
3 cuill. à soupe de jus d'orange frais
1 cuill. à soupe 1/2 de Cointreau (prévoir un peu plus)
1 citron vert : le jus du citron entier et le zeste râpé de 1/2 citron
sucre glace selon le goût (facultatif)

1 Faites bouillir de l'eau dans une casserole, mettez-y la pêche et la nectarine ; faites reprendre l'ébullition.
2 Laissez frémir doucement 1-2 min sur feu moyen. Retirez les fruits et pelez-les dès qu'ils sont tièdes.
3 Détaillez les gros fruits en morceaux jolis à présenter. Disposez-les avec fraises et framboises sur un grand plat ou dans une coupe.
4 Dans un pichet, mélangez jus d'orange, Cointreau et jus de citron vert, en réservant 1-2 cuill. à café de ce dernier. Sucrez avec un peu de sucre glace.
5 Versez sur la salade et mettez-la à rafraîchir jusqu'à la fin du repas.
6 Au moment de servir, rehaussez la saveur en ajoutant un trait de Cointreau et de citron vert. À votre gré, saupoudrez de sucre glace.

Pêches au vin

Quand le temps presse moins, pour une occasion spéciale ou pour faire plaisir aux aînés, aux enfants et aux gourmands, vous proposerez un dessert léger à base de fruits, éventuellement complété par des petits fours. Rien de très compliqué puisque vous aurez réservé votre énergie à la confection des autres mets du repas. Chaque cordon bleu a, en général, un petit répertoire de desserts vite prêts.
Des fruits au vin et à l'alcool sont prêts en un rien de temps. Vous pouvez même les servir « à la carte » : ne pelez pas les pêches ci-dessous, mettez tous les ingrédients devant les convives et chacun composera son dessert à sa guise.

Pour 4 personnes ~ Moins de 15 minutes, plus mise au frais

4 pêches mûres
sucre glace à volonté
50 cl de rosé sec ou demi-sec ou de vin blanc mousseux, bien frais
quelques brins de menthe pour décorer
petits macarons frais pour servir

1 Faites bouillir de l'eau dans une casserole.
2 Mettez les pêches côte à côte dedans et faites reprendre l'ébullition. Laissez frémir 1-2 min sur feu moyen.
3 Sortez les pêches avec une écumoire. Pelez-les. Coupez-les en deux et dénoyautez-les.
4 Reformez chaque pêche et mettez-les dans un verre ou une coupe. Saupoudrez de sucre glace en le tamisant avec une passoire fine. Couvrez de vin et mettez à rafraîchir.
5 Au moment de servir, décorez chaque dessert d'un brin de menthe. Servez avec les macarons.

Petites mousses au chocolat

La mousse peut être prête à déguster en 30 min env. si vous la mettez dans des ramequins rafraîchis.

Pour 4 personnes ~ Moins de 20 minutes, plus 30 minutes au frais

115 g de chocolat pâtissier
2 cuill. à soupe de Cointreau
45 g de beurre ramolli
2 gros œufs très frais, blancs séparés des jaunes
3 cuill. à soupe rases de sucre semoule
2 grosses cuill. à soupe de crème fraîche épaisse

1 Réglez le réfrigérateur sur le maximum, mettez 4 ramequins à rafraîchir sur l'étagère la plus froide.
2 Fragmentez le chocolat directement dans une casserole. Ajoutez le Cointreau et le beurre. Faites fondre le mélange sur feu très doux, jusqu'à ce qu'il soit lisse ; remuez souvent avec une cuillère en bois.
3 Entre-temps, battez les jaunes et le sucre jusqu'à ce qu'ils blanchissent et forment le ruban.
4 Hors du feu, incorporez-les au chocolat, en battant énergiquement le mélange.
5 Incorporez la crème de la même façon. Laissez tiédir sur une surface froide ; remuez une fois ou deux.
6 Montez en neige ferme un des blancs d'œuf (gardez l'autre pour un autre usage). Avec une cuillère en métal ou un fouet, incorporez-en 1 cuill. au chocolat, puis le reste ; travaillez vite, en soulevant la masse jusqu'à ce qu'il ne reste plus de traînées blanches.
7 Mettez dans les ramequins et laissez 30 min au réfrigérateur, dans la partie la plus froide.
8 Pour donner un air de fête, présentez chaque ramequin sur une assiette avec 3 langues de chat posées en éventail et une poignée de framboises givrées de sucre glace. Posez une rosette de crème fraîche sur la pointe des biscuits.

Tatin express

Voici mon secret pour abréger la préparation : faites cuire la tarte au moment le plus pratique et passez-la sous le gril avant de la déguster, tiède de préférence.

Pour 4-6 personnes ~ Moins de 45 minutes

100 g de beurre ramolli (plus de quoi garnir)
115 g de sucre semoule (plus de quoi garnir)
675 g de pommes fermes et croquantes
1 abaisse de pâte brisée prête à l'emploi (225 g), mise à rafraîchir
petite crème (p. 17) ou glace à la vanille de bonne qualité pour servir

1 Préchauffez le four et une grande plaque de cuisson à 200 °C.
2 Beurrez bien l'intérieur d'un moule à fond amovible, en réservant 30 g de beurre env. Saupoudrez de sucre, en une couche épaisse et uniforme ; réservez-en 1-2 cuill. à soupe.
3 Coupez les pommes en quatre et ôtez le cœur et les pépins. Disposez-les dans le moule, répartissez le reste de beurre dessus et saupoudrez avec le reste de sucre.
4 Posez l'abaisse de pâte sur les fruits et rognez ce qui dépasse. Rentrez le bord à l'intérieur du moule afin de bien enfermer les fruits.
5 Enfournez, sur la plaque de cuisson, 25 min env., jusqu'à ce que la pâte soit cuite. Vérifiez au bout de 15 min et, si elle dore trop vite, baissez la température. Laissez-la tiédir.
6 Préchauffez le gril au maximum. Avec des gants isolants, retournez le moule sur un plat à four. Retirez le pourtour et le fond – arrangez un peu les pommes si nécessaire.
7 Posez des noisettes de beurre sur les fruits, saupoudrez de sucre et faites dorer sous le gril. Servez tiède avec une petite crème ou de la glace à la vanille.

TARTELETTES AUX FRUITS MAISON

Vous pouvez les garnir avec un seul fruit, ou panacher. Enfournez-les quand vous vous mettez à table, elles cuiront pendant le repas.

Pour 4 personnes ~ Moins de 45 minutes

1 abaisse carrée (24 cm de côté) de pâte feuilletée toute prête, mise à rafraîchir
1 cuill. à soupe de lait
15 g env. de beurre pour la plaque
farine pour la plaque
petite crème (p. 17) pour servir

GARNITURE
6 grosses cuill. à soupe env. de gelée de groseille, de confiture d'abricots ou de framboises, ou d'oranges
fruits mûrs et fermes préparés : quartiers d'oranges, raisin, demi-abricots, fraises, framboises ou prunes émincées

1 Préchauffez le four à 220 °C. Beurrez bien une plaque de cuisson et farinez-la.
2 Avec un emporte-pièce de 10 cm de diamètre, découpez 4 ronds de pâte. Posez-les sur la plaque. Relevez le bord et incisez-le avec un couteau, à intervalle régulier. Badigeonnez la bordure de lait.
3 Garniture : dans une petite casserole, sur feu doux, faites chauffer la gelée ou la confiture jusqu'à ce qu'elle soit liquide. Badigeonnez-en le fond de tarte uniquement. Disposez les fruits joliment dessus. Nappez-les d'un peu de sirop.
4 Enfournez 20-25 min jusqu'à ce que la pâte soit cuite. Au bout de 15 min, si le dessus dore trop vite, couvrez-le de papier d'aluminium froissé.
5 Avec une spatule, regardez si le dessous des tartes est cuit avant de les sortir. Réchauffez le sirop qui reste, nappez-en les fruits. Servez tiède avec la petite crème.

PAGE DE GAUCHE Tatin express (p. 123)
CI-CONTRE Tartelettes aux fruits maison

INDEX

Les numéros de pages en italique renvoient aux illustrations.

Remerciements

L'auteur tient à dire un grand merci à toute l'équipe qui a participé à cet ouvrage.
Pour leur inspiration, la finesse de leurs commentaires et de leurs critiques constructives, elle voudrait aussi exprimer sa gratitude à diverses personnes, et plus particulièrement à Lewis Esson, Henrietta Green, Colin MacIvor, Françoise Moine et Pierre-André Touttain.
L'éditeur tient à remercier Tom's, à Londres, pour son aide dans la réalisation des photographies.